JUSTIÇA E LETALIDADE POLICIAL

POLIANA DA SILVA FERREIRA

JUSTIÇA E LETALIDADE POLICIAL

Responsabilização jurídica e imunização da polícia que mata

jandaíra JUSTIÇA PLURAL

2021

Copyright ©2021 Poliana da Silva Ferreira

Todos os direitos reservados à Editora Jandaíra, uma marca da
Pólen Produção Editorial Ltda., e protegidos pela Lei 9.610, de 19.2.1998.
É proibida a reprodução total ou parcial sem a expressa anuência da editora.

Este livro foi revisado segundo o Novo Acordo Ortográfico
da Língua Portuguesa

Conselho editorial **Adilson José Moreira, Amanda Cristina de Aquino Costa, Brenno Tardelli, Chiara Ramos, Élida Lauris, Felipe da Silva Freitas, Lizandra Magon de Almeida, Luciana de Souza Ramos, Paulo Fernando Soares Pereira, Rafael Valim, Thayná Yaredy, Tiago Vinicius André dos Santos.**

Direção editorial **Lizandra Magon de Almeida**
Coordenação editorial **Andréia Amaral**
Revisão **Alessandra Rosalba e Cristina Pessanha**
Projeto gráfico, diagramação e capa **Marta Teixeira**
Foto de capa **Jannoon028/Freepik**

Dados Internacionais de Catalogação da Publicação (CIP)
Maria Helena Ferreira Xavier da Silva/Bibliotecária – CRB-7/5688

Ferreira, Poliana da Silva

F383j Justiça e letalidade policial: responsabilização jurídica e imunização da polícia que mata / Poliana da Silva Ferreira. – São Paulo : Jandaíra, 2021.

192 p. ; 21 cm.

ISBN 978-65-87113-49-4

1. Violência policial. 2. Policiais militares - Atitudes - Brasil. 3. Segurança pública. 4. Aplicação da lei – Brasil. 5. Violência policial – Impunidade. I. Título.

CDD 363.2320981

Número de Controle: 00020

jandaíra

Rua Vergueiro, 2087 cj. 306 – 04101-000 – São Paulo, SP
11 3675-6077   editorajandaira.com.br
Editora Jandaíra   @editorajandaira

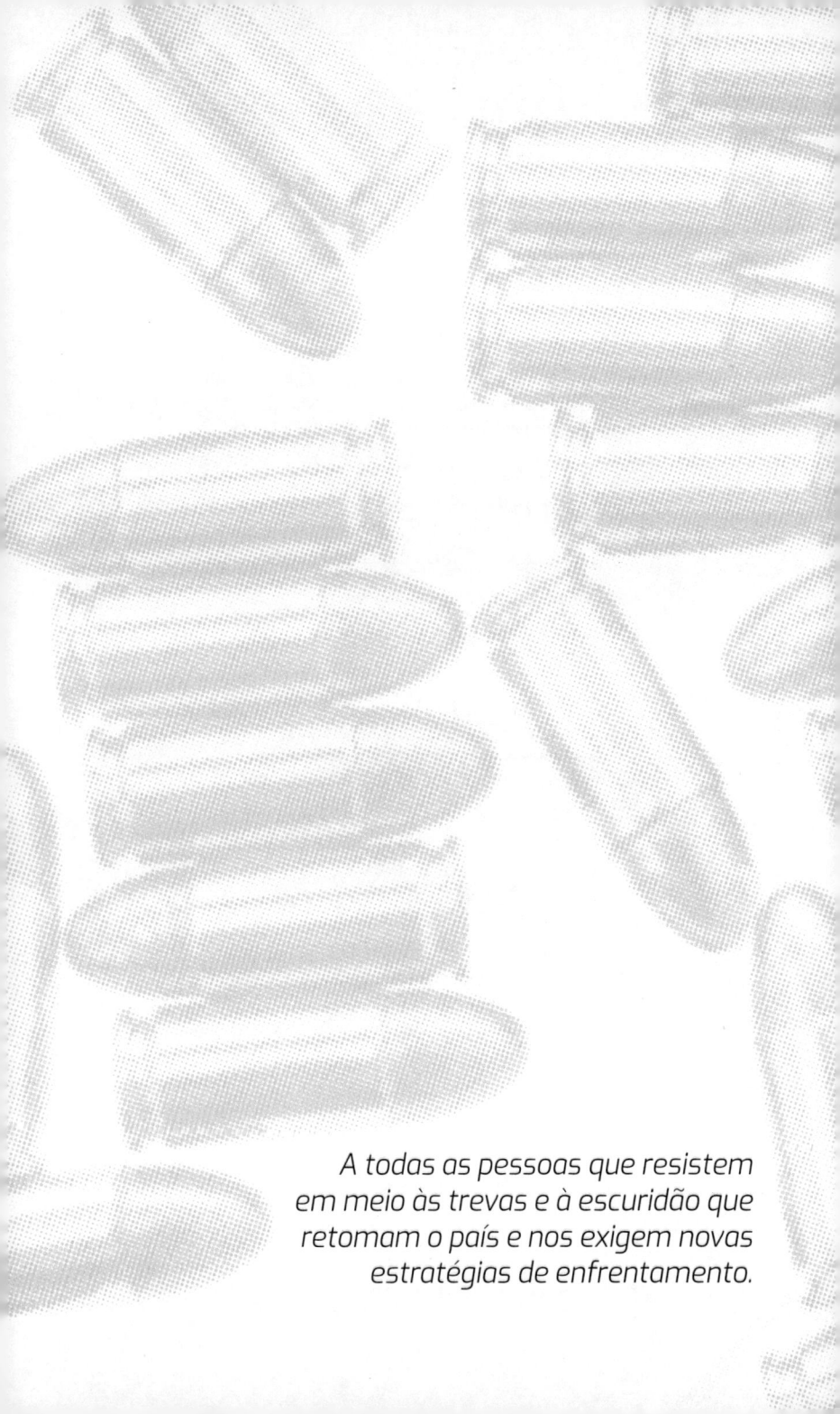

A todas as pessoas que resistem em meio às trevas e à escuridão que retomam o país e nos exigem novas estratégias de enfrentamento.

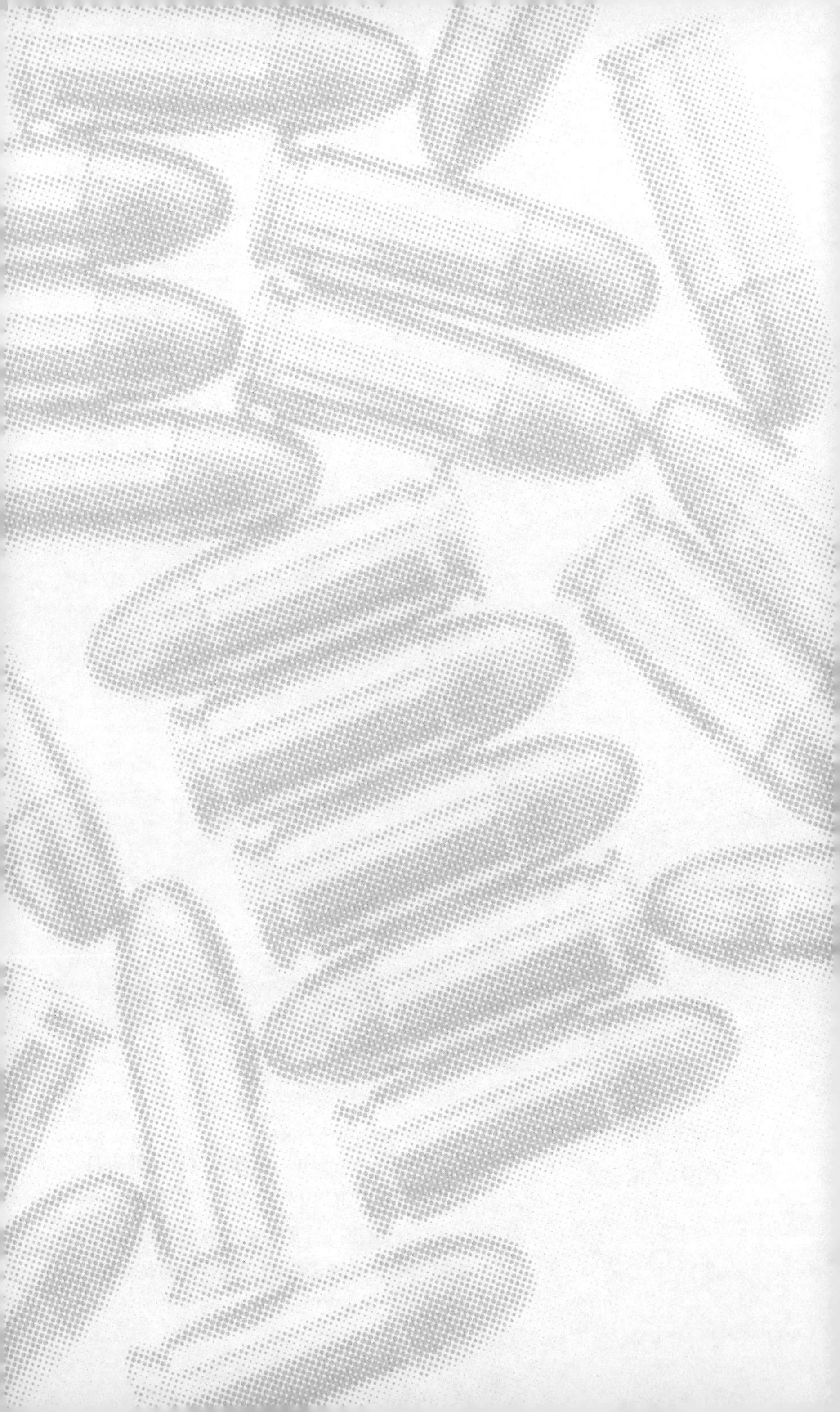

Apresentação

Em agosto de 2020, a Editora Jandaíra anunciou o lançamento do Selo Justiça Plural, voltado à publicação de obras necessárias para a compreensão das discriminações estruturais do Brasil. A ideia é fortalecer a pesquisa e difundir vozes de grupos sociais inviabilizados ao longo da história.

O selo conta com o suporte de um conselho editorial composto por dez profissionais que vêm produzindo pesquisas transformadoras no Direito nos últimos anos. Eles foram escolhidos de acordo com os critérios de paridade de raça, gênero e regionalidade e têm o papel de selecionar, avaliar e indicar obras para contratação. Aproveito para saudar e agradecer a esses juristas, que fazem parte da primeira formação do conselho: Adilson José Moreira, Amanda Cristina de Aquino Costa, Chiara Ramos, Élida Lauris, Felipe da Silva Freitas, Luciana de Souza Ramos, Paulo Fernando Soares Pereira, Rafael Valim, Thayná Yaredy e Tiago Vinicius André dos Santos. Reuni-los neste projeto traz a expectativa de realizarmos um grande trabalho. O grupo conta ainda comigo no papel de embaixador e com Lizandra Magon, presidenta do conselho, todos com mandatos que serão constantemente atualizados.

A primeira publicação do Justiça Plural foi a obra *Comentários críticos à Constituição Federativa do Brasil*, que reuniu mais de cem juristas de todas as regiões brasileiras para refletir criticamente sobre a Constituição, em face de uma conjuntura de preocupante retrocesso democrático. Diante desse cenário – e sob um dos mais graves momentos sanitários do país, imposto pela pandemia da covid-19 –, formar um núcleo de publicação e amplificação de trabalhos comprometidos com questões sociais e de direitos humanos é parte de um movimento de resistência epistemológica com uma força nunca vista no país.

A inspiração para o lançamento do Selo Justiça Plural veio do Selo Sueli Carneiro, coordenado pela filósofa e escritora Djamila Ribeiro, responsável pela publicação da Coleção Feminismos Plurais. O sucesso da iniciativa da filósofa mostrou, além da excelência do trabalho, que havia uma demanda reprimida por saberes excluídos do debate público hegemônico. O Direito, como terreno de disputa de narrativa, encontra solo fértil para uma profunda transformação. E a esse respeito, é fundamental mencionar o trabalho de Adilson José Moreira, com seu louvável esforço para solidificar o direito antidiscriminatório no Brasil.

Nesse caldo de contranarrativa hegemônica, há muitos trabalhos a serem publicados. Estudos que se posicionam em contraposição a opressões estruturais são cada vez mais presentes em bibliografias de programas de graduação, mestrado e doutorado, além de grupos de leitura, o que fortalece o debate público e estimula as editoras a acompanharem esse movimento.

Não posso deixar de agradecer a Lizandra Magon, diretora da Editora Jandaíra, pessoa fundamental para a revolução contemporânea no mercado editorial brasileiro. Como presidenta do conselho, Lizandra coordena os trabalhos, estabelece o ritmo e a ordem das publicações indicadas pelos conselheiros e conselheiras. Desde o início, quando a ideia do selo ainda não existia e nossas conversas eram em torno da necessidade de viabilizar a edição dos *Comentários críticos à Constituição,* Lizandra viu uma oportunidade, abraçou o projeto e agora vemos o resultado.

Como embaixador do Justiça Plural, depois de apresentar o selo, a relevância que tem nosso propósito e as pessoas que fazem parte desta iniciativa, o convido a seguir adiante na leitura. Tenho certeza de que a obra que você vai encontrar nas próximas páginas irá provocar o desconforto necessário para instigá-lo na busca pela paz. Ainda que, para alcançá-la, algumas guerras precisem ser travadas.

Boa leitura!

Junho de 2021

Brenno Tardelli
Coordenador do Selo Justiça Plural. Editor de Justiça no site da CartaCapital. *Mestrando pela Faculdade de Direito de Ribeirão Preto (FDRP/USP).*

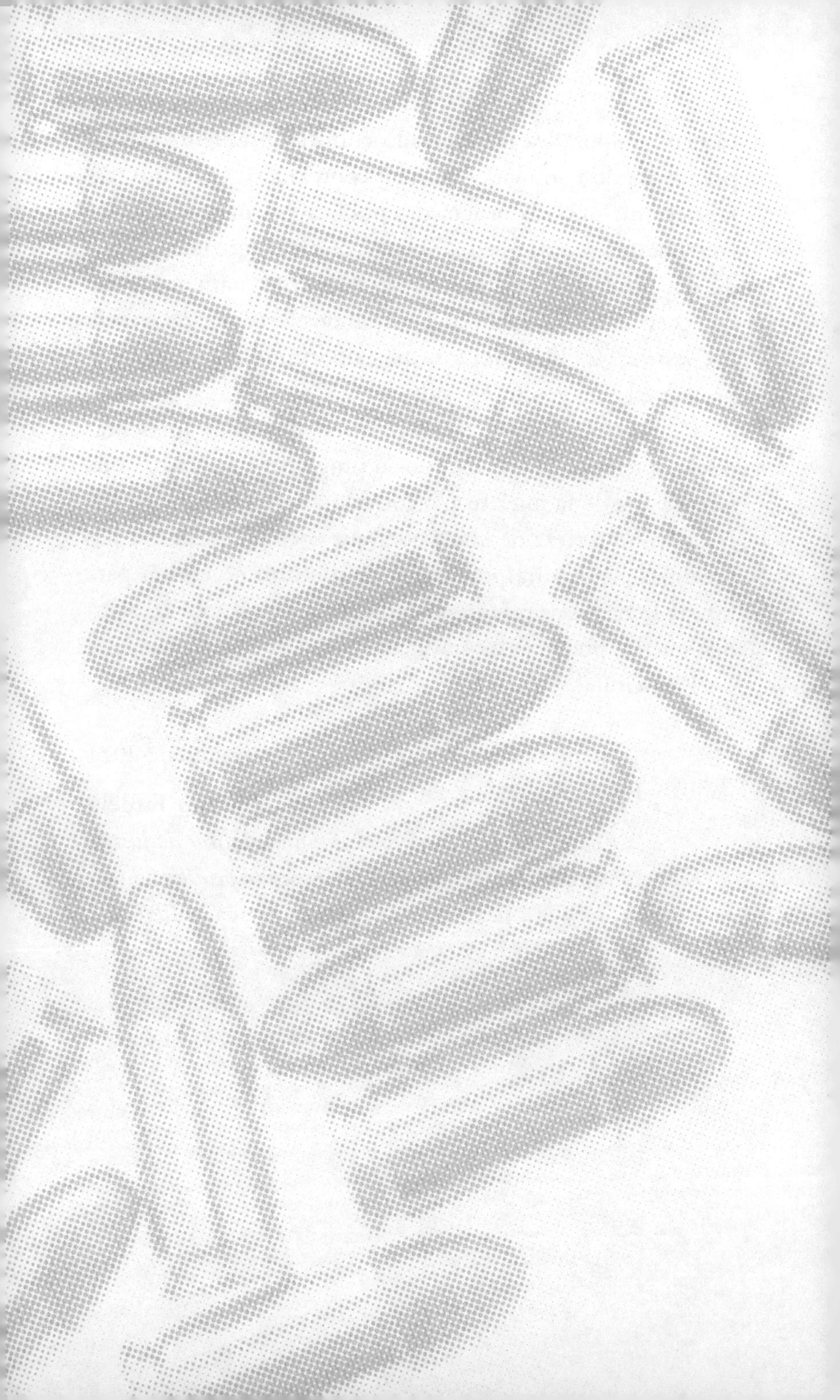

Sumário

Agradecimentos ... 13
Prefácio ... 17
Introdução ... 23

Parte 1 – Um caso entre tantos outros ... 29
1. As mortes que viram processo ... 31
2. Trânsito pelo sistema de justiça ... 48
3. Responsabilidade civil ... 71

Parte 2 – Respostas estatais à *polícia que mata* ... 77
4. Polícia e Estado de direito: uma semente que não brota ... 80
5. Desarticulação das regras e fragmentação das respostas ... 83
6. Indiferença como estratégia ... 97
7. Uso da força fora de controle? ... 104

Parte 3 – A lógica imunitária ... 109
8. A lógica imunitária: da possível responsabilização do policial à blindagem da Polícia Militar ... 113
9. Leis que protegem... a instituição ... 115
10. As práticas identificadas nos meandros do processo ... 125
11. Cultura da (auto)imunidade institucional ... 145

Conclusão ... 151
Apêndice: Imersões e passagens ... 155
Notas ... 172
Referências ... 179

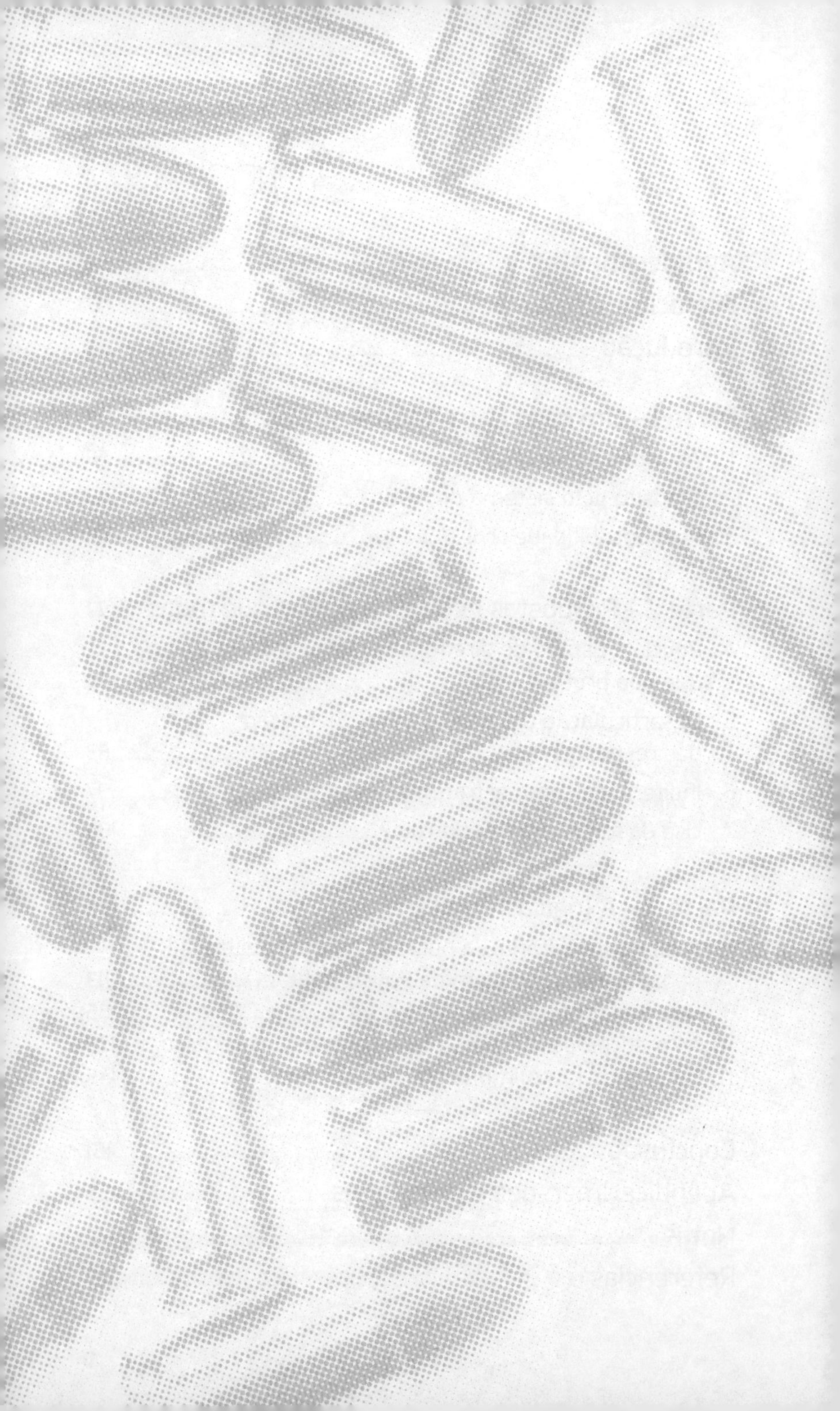

Agradecimentos

Escrever um livro sobre um tema tão caro quanto espinhoso para o Estado de direito no Brasil torna-se uma tarefa menos difícil quando se tem apoio político, acadêmico e afetivo. Por isso, dirijo meus mais sinceros agradecimentos a:

Maíra Machado, pela imprescindível orientação na Escola de Direito de São Paulo da Fundação Getúlio Vargas; Dan Kaminski, pelo acolhimento e pelas trocas junto ao Centre de Recherche Interdisciplinaire sur la Déviance et la Pénalité da Université Catholique de Louvain; Lysie Reis, Maurício Azevedo e Riccardo Cappi, por me apresentarem à atividade de pesquisa como campo de atuação profissional e político, na Universidade do Estado da Bahia.

Às amigas e aos amigos integrantes do Grupo de Pesquisa em Criminologia da Universidade do Estado da Bahia (UNEB), do Núcleo de Estudos sobre o Crime e a Pena da FGV Direito SP e da Rede de Estudos Empíricos em Direito, por me manterem academicamente engajada em um tema que me fisgou, no começo, apenas pessoal e politicamente.

Aos policiais, promotores, magistrados e demais funcionários públicos, essenciais para a realização da pesquisa.

Às pessoas queridas que tornaram essa caminhada menos solitária: Vilma Reis, Tatiana Gomes, Ana Míria Carinhanha, Camila Boaventura, Ana Carolina Campos, Marco Aurélio Macedo, Felipe Freitas, Luciana Zaffalon, Camila Prando, Ana Gabriela Braga, Evandro Piza, Carolina Trevisan, Cristina Zackzeski, Ludmila Ribeiro, Jacqueline Sinhoretto, Andrea Tourinho, Sara Côrtes, Sergio São Bernardo, Samuel Vida, Marília Budó, Marta Machado e Thiago Amparo, pelo apoio e ricas discussões.

Aos colegas do Programa Direito e Relações Raciais da UFBA, do Grupo de Estudos Direito Afro-brasileiro da UNEB, do Núcleo de Justiça Racial e Direito da FGV e da Plataforma Justa.org.br.

À Fundação de Amparo à Pesquisa do Estado de São Paulo (Fapesp), pela concessão da bolsa de mestrado (Processo: nº 2017/00239-4) e de estágio de pesquisa no exterior (Processo nº 2017/22051-7), pelos investimentos públicos em pesquisa aos quais tive acesso; À Fundação Getúlio Vargas pela concessão da bolsa Mario Henrique Simonsen, no Programa de Pós-Graduação Stricto Sensu da Escola de Direito. À Editora Jandaíra e ao Selo Justiça Plural por apostarem neste projeto, especialmente a Lizandra Magon e Brenno Tardelli.

E a todas as pessoas que não pude nomear, mas que contribuíram com a minha jornada.

Minha família.

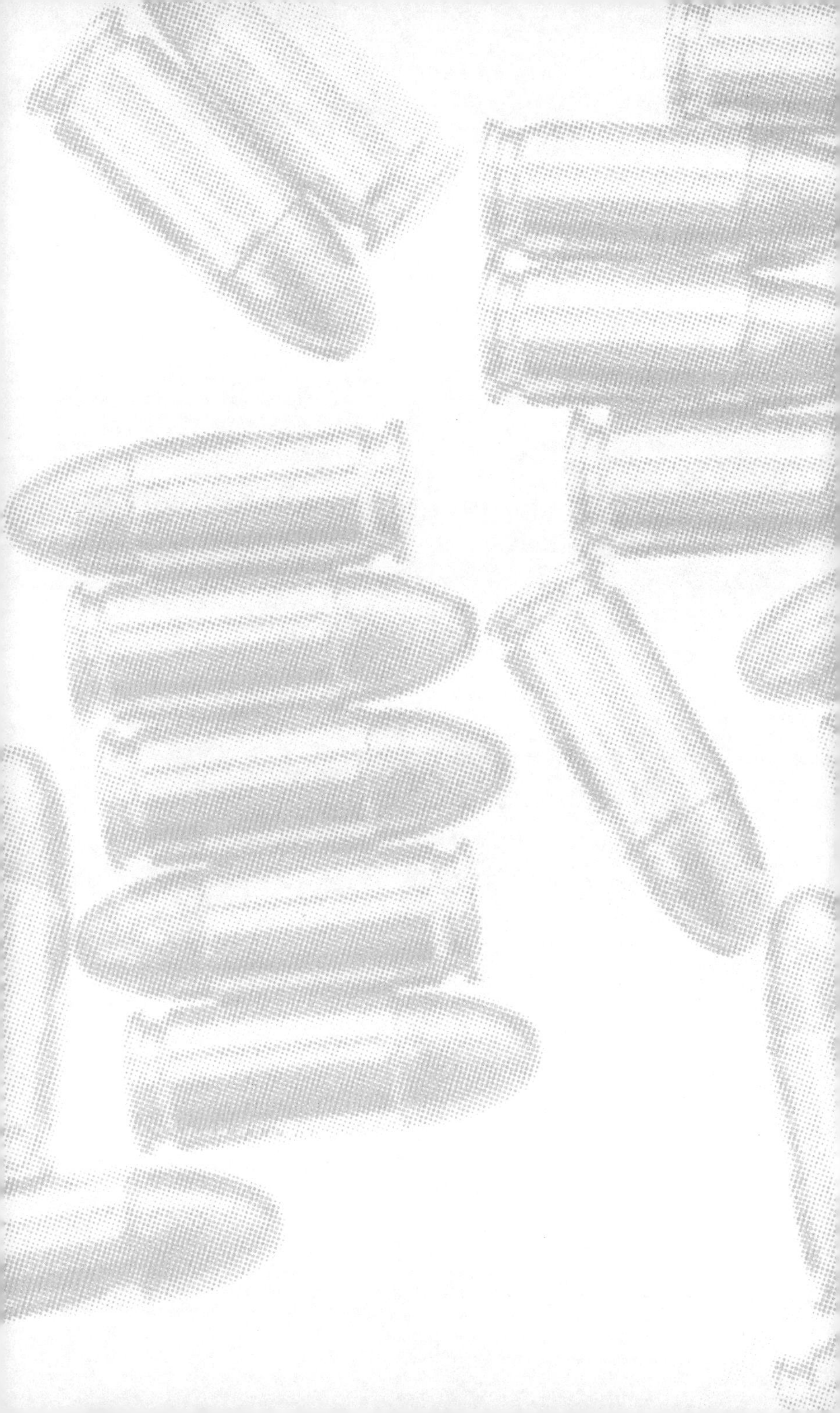

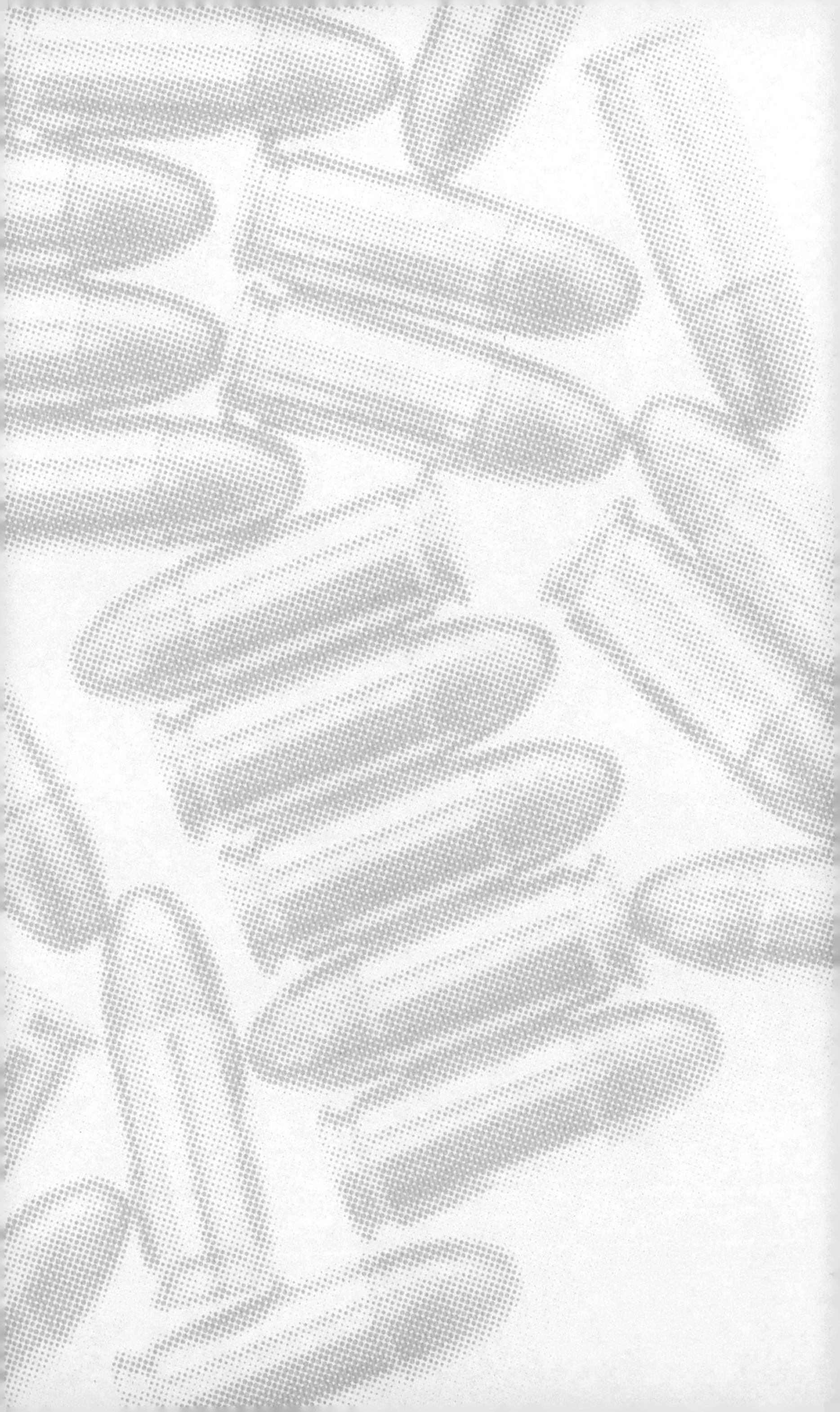

Prefácio

Enquanto escrevemos este prefácio, há cidadãos, sobretudo rapazes jovens e negros, sendo mortos pela polícia. Há policiais alterando provas e locais de crime, lavrando boletins de ocorrência já programados para virarem "autos de resistência", sob explícito beneplácito da corporação. Há famílias desesperadas e amedrontadas buscando o corpo, buscando informação, buscando justiça. Há membros do Ministério Público pedindo o arquivamento desses inquéritos policiais porque julgam faltar provas ou não haver crime diante da excludente de legítima defesa. Há autoridades judiciais chancelando toda a cadeia de descaso e indiferença, sepultando em duas linhas a possibilidade de apurar detalhadamente o que ocorreu, de confrontar as versões, de produzir novas provas, de submeter a julgamento os policiais responsáveis. E diante de tudo isso, há quem apoie, aplauda, eleja e reeleja. Cada um mata ao seu modo.

Sabemos disso tudo e não é de hoje.

O que não sabíamos, e este livro nos revela com precisão, é como opera, diante das normas jurídicas e da ausência delas, o arsenal de órgãos e instituições do sistema de justiça para bloquear toda e qualquer forma de responsabilização. Nas palavras da autora, trata-se de uma "blindagem institucional da *polícia que mata*", hipótese central do livro, gerada e verificada a partir de estudo de caso único.

Com essa estratégia metodológica em mãos, munida de profunda familiarização com a literatura sobre a letalidade policial e de uma sagacidade sensível e madura, a autora oferece contribuições muito valiosas ao Direito e a cada um(a) de nós – juristas, pesquisadoras, militantes.

O livro de Poliana Ferreira, nesse sentido, pode também ser lido como um livro de metodologia. Não somente porque ilustra de maneira fina a realização e o aproveitamento produtivo de um "estudo de caso", mas também porque explica como uma preocupação social grave e urgente, endossada há muito tempo pela pesquisadora baiana, torna-se problema de pesquisa e fonte de desenvolvimento investigativo, sustentado por uma indignação que, por intensa que seja, não deixa de enrobustecer o rigor metodológico e os achados teóricos da autora.

Trata-se de uma obra indispensável para quem milita tanto por um sistema de justiça justo quanto pela justeza da pesquisa sobre sistema de justiça. Encontra-se proposto um caminho que ilustra a mão dupla, possível e indispensável, entre as cruciais reivindicações dos movimentos da sociedade civil e as investidas científicas na academia. O trabalho proporciona uma compreensão ampliada dos fenômenos estudados. Neste caso, o adjetivo "ampliada" diz respeito ao objeto de conhecimento – o sistema de justiça – e aos diversos sujeitos de conhecimento – profissionais, movimentos sociais, pesquisadores – que, por intermédio do trabalho de Poliana Ferreira, encontram uma nova forma, de uso comum, para observar as peculiaridades de um sistema de justiça que se depara com a letalidade policial.

Ao esmiuçar a documentação policial e judicial das "mortes que viram processo", observar as sessões de julgamento e entrevistar protagonistas para acessar os mecanismos jurídicos que compõem o tratamento dado à letalidade policial, a autora restitui ao conhecimento jurídico a complexidade do funcionamento do sistema de justiça criminal. Contraditório e construção de verdade material na fase policial, valor da confissão, a proporcionalidade da reação na legítima defesa, significado do desmembramento processual, efeitos da inaptidão técnica do corpo de jurados, entre vários outros aspectos, emergem da apurada análise, didaticamente apresentada.

As leitoras e os leitores têm nas mãos um livro que vai além da produção de conhecimento puramente jurídico. Seguindo a tradição consolidada da pesquisa empírica em Direito, pautada igualmente em abordagens interdisciplinares, esta análise das "respostas estatais à *polícia que mata*" revela com precisão as "regras do jogo" e as "maneiras de jogar" que operam nos processos de responsabilização. Além de serem desenhadas e articuladas nos diversos âmbitos do Direito, as regras e maneiras de jogar se complexificam ganhando consistência social própria, nas instituições e nas práticas do sistema de justiça, que a autora revela por meio de conceitos precisos que definem também uma construção teórica original, importante para a leitura do fenômeno em tela.

Sem antecipar aqui os contornos dessa rica elaboração, nos ocorre a preciosa etimologia do verbo "blindar", núcleo da hipótese central do livro – "blindagem institucional da *polícia que mata*". A palavra, oriunda do francês *blinder,* que deriva do alemão *blinde,* "instalação oculta para proteção de militares", remete também ao germânico *blindaz,* "cegar", que nos é mais familiar por conta do conhecido adjetivo inglês *blind,* cego. Esse duplo sentido do verbo blindar remete, portanto, a mecanismos que, de fora para dentro, protegem silenciosamente a instituição policial diante da probabilidade de responsabilização e, de dentro para fora, criam as condições de invisibilização e invisibilidade, para o sistema de justiça, de importantes aspectos ligados às mortes de civis decorrentes da ação policial.

Coincidentemente ou não, a etimologia da palavra "imune", presente na expressão "*lógica imunitária*", também utilizada pela autora, nos entrega mais um aspecto interessante relativo à árvore conceitual proposta no livro. Imune deriva do latim *immunem,* composto da partícula in, que tem sentido de negação, e múnus, que significa obrigação, dever, incumbência, responsabilidade. Dessa forma, a ideia de "*lógica imunitária*", tal como discutida no último capítulo, permite deslindar mecanismos pelos quais a instituição policial, além de protegida, acaba sendo desincumbida, assim como outras instâncias do sistema de justiça, de importantes obrigações inerentes à proteção do cidadão.

O aporte teórico que, de fato, se desenha na última parte da obra, após a descrição e análise do caso, além de completar um brilhante percurso de pesquisa, constitui uma ferramenta ímpar para seguir estudando o sistema de justiça numa perspectiva jurídica, sociológica e criminológica.

Enfim, um trabalho dessa densidade revela qualidades e posturas da própria pesquisadora. A maneira com que Poliana Ferreira observa o sistema de justiça, coloca-se na escuta dos atores com seus diversos pontos de vista, pensa e escreve, com sobriedade e rigor, oferece às leitoras e aos leitores uma ilustração privilegiada da indignação fértil, da sensibilidade apurada e da perspicácia pulsante que caracterizam o caminho pessoal, acadêmico e profissional da autora.

Entre graduação em Direito na Universidade do Estado da Bahia (Uneb) e doutorado em Direito na Fundação Getúlio Vargas (FGV), participação no Grupo de Pesquisa em Criminologia e Núcleo de Estudos sobre o Crime e a Pena, inserção no sistema de cotas da universidade pública e bolsas de pesquisas (MHS, Capes e Fapesp), "periferia" de Salvador e "centro" de São Paulo, Poliana – como ela gosta de dizer – é uma pessoa de "trânsitos". Trânsitos com viagens de ida e volta, que enriquecem e ultrapassam a produção científica.

Entre Salvador e São Paulo, novembro de 2020.

Maíra Rocha Machado e **Riccardo Cappi**

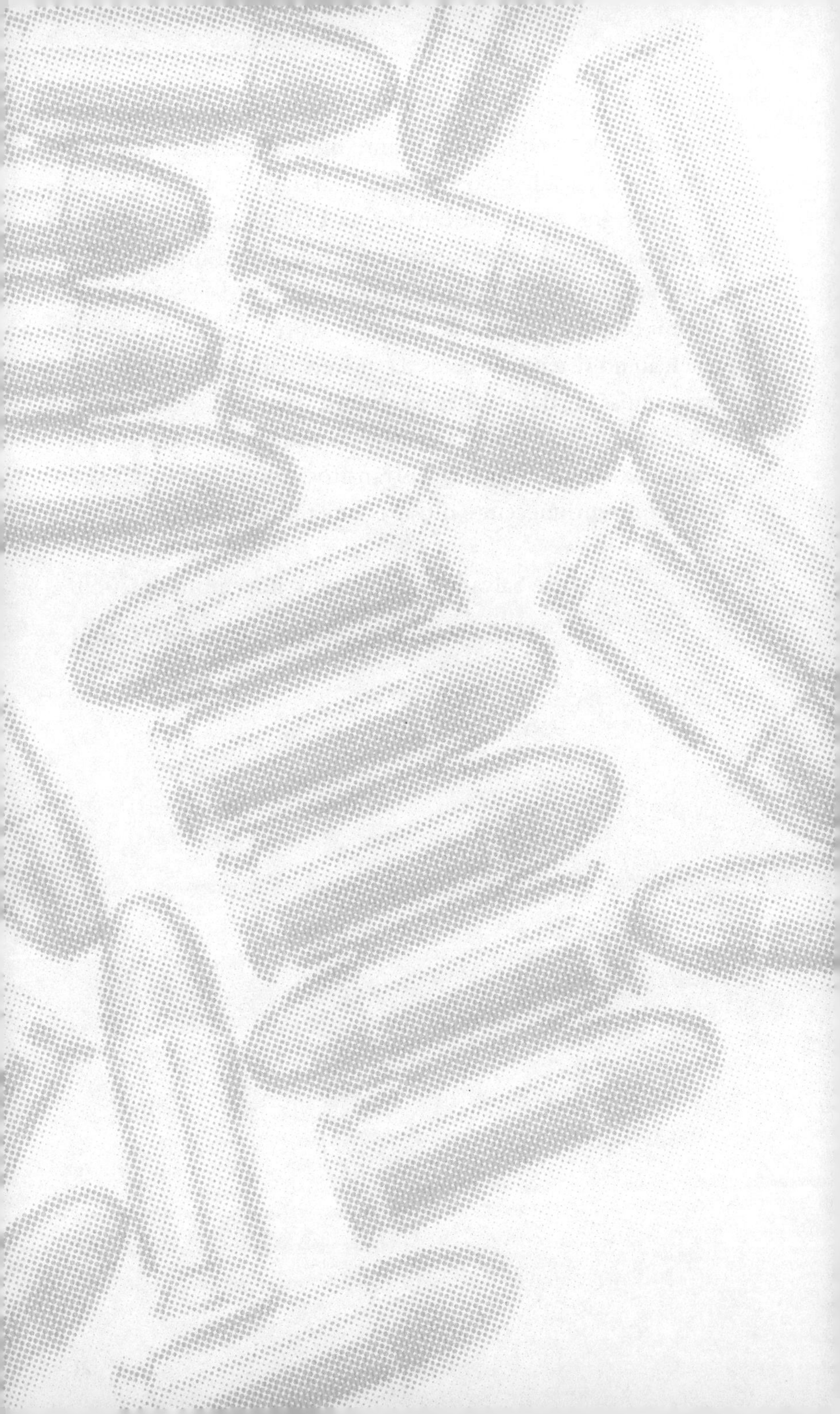

Introdução

Entre 2016 e 2020 foram contabilizados no Brasil mais de 27.000 vítimas fatais em decorrência de abordagens policiais. Em 2018, em média 17 pessoas foram mortas por dia pela polícia, de acordo com os relatórios do Fórum Brasileiro de Segurança Pública, entidade não governamental composta por pesquisadores e policiais. Na pandemia, não houve trégua. 5.660 mortes. Ou seja, a alta letalidade nas ações policiais constitui uma realidade. O fenômeno é notório, o problema, dramático. Mas o que o Direito tem a ver com isso?

Buscando responder a essa pergunta, este livro se concentra nas dimensões jurídicas da letalidade policial. Mais especificamente, analisa como o Direito lida com as abordagens policiais que resultaram em mortes. O objetivo é contribuir para o enfrentamento desse tipo de ocorrência e das respectivas consequências nefastas para familiares das vítimas, policiais, sociedade civil e Estado. A intenção é propor uma nova perspectiva de investigação, do ponto de vista jurídico, para um tema já densamente estudado por pesquisadores e pesquisadoras no campo das ciências sociais, ativistas e militantes antirracismo.

Apostei no estudo pormenorizado da complexidade que cerca esse tipo de ocorrência e as consequentes respostas estatais. Isso significa, para uma pesquisadora como eu, aceitar e explorar as contradições, as divergências e as incongruências inerentes a esse fenômeno, sem simplificações ou reduções apressadas. A partir do "estudo de caso" escolhido como método de pesquisa, observei minuciosamente o tratamento judicial dado à letalidade policial nas três esferas do Direito – criminal, civil e administrativa –, me dedicando inclusive às relações complexas e descontínuas entre elas.

No âmbito dessa temática de pesquisa, com nítidos desdobramentos acadêmicos e políticos, foi desenhada a seguinte questão: "Dadas as lógicas estruturais que permeiam as agências de controle social – racismo, punitivismo, machismo, dentre outras –, quais são e como são mobilizados os mecanismos jurídicos de responsabilização da *polícia que mata*?"

Para responder a essa pergunta, escolhi partir de um episódio da vida real, um caso de mortes produzidas em abordagem policial, cujo tratamento jurídico foi contemporâneo à execução da pesquisa. Acompanhei a situação de maneira precisa, coletando dados de diversas naturezas sobre os processos e os trânsitos do caso pelas diferentes instituições envolvidas. Por ser um estudo de caso único, foi possível compreender em profundidade o contexto, as normas, as estratégias dos diversos atores individuais e institucionais, elementos que ajudaram na construção de inferências sobre o que não estávamos vendo, sobre o que é dito ou é silenciado, sobre os tempos vivos e tempos mortos do processo, sobre o passado de uma morte e o presente que, de certa forma, a perpetua.

O resultado é uma obra com abordagem crítica, que foge, contudo, do "modelo dualista" sinalizado por bell hooks, pelo qual a leitura do mundo se resumiria em bom e ruim, ou aprovado e reprovado, e que, frequentemente, pode produzir paradigmas teóricos desconectados de estratégias políticas contextualizadas.

Ademais, entendo que não é meu papel como pesquisadora construir novas formas de estigmatização de réus, juízes, promotores, policiais. Desse modo, ao longo do texto não são explicitadas informações que permitam a identificação direta dos profissionais que atuaram no caso – por isso, para garantir a anonimização, as pessoas serão referidas no masculino. Preservei também os nomes das vítimas, em respeito à memória delas e à dor dos familiares. Busquei sistematicamente a anonimização de todos os personagens e parceiros de pesquisa, reportados com nomes fictícios. Ressalto aqui a grande contribuição que tiveram na pesquisa, merecedora de agradecimento. Entendo, enfim, que os ganhos políticos do trabalho não advêm exclusivamente da perspectiva denuncista. Dito de outra maneira, a pesquisa não visa à acusação de pessoas e sim à revelação e compreensão de lógicas estruturantes, que permitem a perpetuação do resultado nefasto que já conhecemos.

O livro está dividido em três partes. Num primeiro momento, apresento o caso observado para o estudo. É onde a leitora e o leitor encontrarão a descrição de cada uma das etapas dos processos de responsabilização dos policiais envolvidos nas mortes de dois jovens. O caso, descrito detalhadamente, mostra como as diferentes narrativas se sustentaram ao longo do seu percurso no sistema de justiça. Assim, poderá ser observado como os fatos vieram a público, como se deram seus registros ao ingressarem nas instituições competentes e qual foi o tratamento que receberam. Como não se trata de um filme de suspense, o fim do processo já é conhecido: absolvição dos policiais que praticaram as mortes, ainda que um deles tenha confessado a prática do crime. Caberá desvendar, nas páginas que seguem, as condições e os motivos que tornaram possível essa decisão. Sem devaneios e a partir de um exemplo concreto, exponho o contexto político, social e racial que autoriza que casos como esse se repitam Brasil adentro, mesmo com a mobilização e a articulação de movimentos sociais e organizações não governamentais.

A segunda parte traz os elementos centrais para a leitura jurídica da estruturação das respostas estatais à *polícia que mata*. Partindo da interpretação do contexto de desigualdade sociorracial que assola o país e do sentimento de impunidade, apresento as respostas estatais às abordagens policiais que resultaram em morte nos diversos âmbitos jurídicos (policial, judicial, disciplinar), incluindo o detalhamento das normas, dos procedimentos e das interfaces entre as esferas do Direito (administrativa, criminal, civil).

Enfim, na última parte, retomo os pontos fundamentais da literatura sobre o tema em articulação com os achados sobre o caso para realizar um mergulho profundo nas estruturas jurídicas mobilizadas no tratamento das abordagens policiais que resultaram em morte. Em especial, proponho uma leitura teórica do arranjo institucional brasileiro que caracteriza a operacionalização dos fluxos de responsabilização, até formular nossa hipótese central: a blindagem institucional da *polícia que mata*.

No Apêndice, uma nota metodológica sob o título "Imersões e passagens" descreve as principais técnicas utilizadas no desenvolvimento da pesquisa, bem como os limites inerentes ao próprio método. Essa sessão poderá ser visitada por quem quiser saber mais a respeito de como conduzi o estudo.

Em tempos sombrios, a pesquisa cumpre o papel fundamental de lançar luz sobre práticas consolidadas no país, desvendando aspectos não percebidos à primeira vista, ignorados ou invisibilizados. Espera-se que, ao final da leitura, a leitora e o leitor tenham elementos para responder à pergunta que não pode calar: por quais tortuosos caminhos se faz justiça, ou não, quando a polícia mata?

Parte 1
UM CASO ENTRE TANTOS OUTROS

UMA MORTE PRODUZIDA PELA POLÍCIA.

É possível falar muita coisa a respeito disso, menos que se trata de um fato raro no Brasil, um país caracterizado pela alta letalidade policial.

Nesta primeira parte, será narrado, com o maior número de detalhes possível, um caso de morte decorrente da ação policial. O exercício tem um tríplice valor. Primeiramente, sustenta uma prática cívica importante, que é a de conhecer as práticas do Estado: uma das maiores e mais dramáticas características do Estado totalitário é a ocultação dos próprios atos. Em segundo lugar, a descrição aprofundada de um caso decorre diretamente do método de pesquisa adotado e amplamente consolidado em ciências sociais — o estudo de caso —, do qual se quer oferecer aqui um dos seus produtos mais preciosos: a restituição de uma ocorrência nas suas inúmeras facetas, interações e estratégias, com consequentes desdobramentos e desfechos. Enfim, esse exercício, além do seu valor descritivo e informativo para a leitora e o leitor, constitui a base para ulteriores análises e aprofundamentos, que serão tecidos nos capítulos subsequentes.

1
AS MORTES QUE VIRAM PROCESSO

Era primeiro de janeiro quando, nas primeiras horas da madrugada, dois homens negros foram mortos por policiais militares na cidade de São Paulo. Entre tantos casos que o antecederam e os milhares que viriam depois, esse chama particularmente a atenção de quem deseja observar como o sistema de justiça se movimenta, ou não, para responsabilizar os envolvidos. O caso ganhou destaque nos veículos de comunicação porque um dos policiais decidiu procurar a Corregedoria da Polícia Militar para alterar a versão dos fatos: declarou ter atirado contra a vítima, não em legítima defesa, mas porque estava "com raiva", porque "perdeu a cabeça". Em outras palavras, se declarou culpado.

NARRATIVAS INICIAIS

Eram 9h13 da manhã de uma quinta-feira, quando um importante portal de notícias da cidade estampava a manchete: "Dois são mortos pela PM após explosão de caixa eletrônico em SP".[1] A reportagem destacava que uma das agências do Banco do Brasil, situada na esquina das ruas A e E, em São Paulo, havia sido "atacada" por "bandidos" e narrava, a partir da versão dos policiais, a ocorrência de duas mortes decorrentes de intervenção policial:

> Segundo a PM, policiais militares de dois batalhões foram acionados, por volta de 0h30. Cada uma das equipes se deparou com parte da quadrilha em fuga. Dois criminosos que seguiam a pé trocaram tiros com os policiais e acabaram mortos. Outros oito suspeitos conseguiram fugir.[2]

Às 11h08, outro jornal digital informava em menos de dez linhas, na matéria intitulada "Dois suspeitos são mortos pela PM após explosão de caixa eletrônico em SP",[3] que a polícia militar de São Paulo havia frustrado um roubo de caixa eletrônico em uma agência do Banco do Brasil do bairro Nazaré, e que os suspeitos formavam um grupo de cerca de dez homens, armados com fuzis e outros dispositivos de grosso calibre. Segundo a reportagem,

> "Durante a fuga, os bandidos foram surpreendidos por equipes da PM e no confronto na Avenida [A], esquina com Rua [E], dois suspeitos foram baleados e mortos. Nenhum policial se feriu com gravidade."[4]

Até então, as narrativas pareciam dar conta de uma ocorrência comum no dia a dia de policiais. Destacavam uma tentativa de roubo interrompida pela ação de policiais, os quais provocaram duas mortes em consequência do exercício da função.

Essas duas primeiras reportagens foram publicadas no mesmo dia do fato. Nenhum dos dois veículos de comunicação, que têm alcance nacional, informou com maior clareza as circunstâncias da morte, quem eram os policiais que efetuaram os disparos e os nomes das vítimas.

Vinte e cinco dias depois, um terceiro veículo de comunicação, a *Ponte Jornalismo,* publica uma história diferente. Nessa nova versão, contada quase um mês após as mortes e replicada posteriormente por pelo menos três outros veículos de comunicação, o jornal informa o nome completo, a idade, o sexo e a raça dos homens que haviam sido mortos por policiais da Força Tática da Polícia Militar de São Paulo. O texto afirma que a narração do primeiro caso de morte sob intervenção policial daquele ano começou a mudar quando o sargento Humberto procurou um pastor evangélico para revelar que havia praticado a execução de um homem desarmado e já rendido.

As mortes das duas pessoas foram construídas assim: havia pelo menos duas versões e pouco se sabia sobre o que tinha ocorrido exatamente naquela madrugada festiva na cidade de São Paulo. Afinal, no local estavam apenas os policiais e as vítimas que não sobreviveram para testemunhar.

BOLETIM DE OCORRÊNCIA E A PRIMEIRA VERSÃO OFICIAL

A apuração dos fatos que ocorreram em 1º de janeiro e dos respectivos processos de responsabilização teve início na madrugada do mesmo dia, com a atuação da polícia civil. O processo de responsabilização em âmbito criminal começou com a elaboração do *Boletim de Ocorrência de Autoria Conhecida do Departamento de Homicídios e Proteção à Pessoa da Divisão de Homicídios (BO/DHPP) da Polícia Civil do estado de São Paulo,* por volta das 5 horas da manhã, emitido quando já era noite. O objetivo do documento era comunicar oficialmente à polícia civil sobre a suposta prática de crimes comuns ocorridos naquela madrugada, que teriam de ser apurados. Tratava-se de tentativa de furto de estabelecimento bancário, posse irregular de arma de fogo de uso permitido, explosão, resistência e dois homicídios simples. Nesse documento, a morte de Eduardo Silva* e de João Santos é registrada como *homicídio simples (art. 121) consumado – morte decorrente de intervenção policial* (SÃO PAULO, 2013, grifo nosso). Segundo esse registro, havia chegado ao Centro de Comunicações do DHPP a notícia do delito de furto à agência do Banco do Brasil (mediante utilização de explosivo), seguido de resistência e morte decorrente de intervenção policial em locais distintos, envolvendo policiais militares da região e os *autores/vítimas fatais*. Diante da informação, uma equipe, composta de delegado, perito e fotógrafo, deslocou-se até o local para a realização de diligência.

O BO/DHPP descreve o local de ocorrência do furto, o respectivo endereço, as condições de iluminação e algumas características sociais da região onde a agência do Banco do Brasil fica localizada. O documento ainda identifica um veículo que havia sido furtado na noite anterior aos fatos e a presença de policiais militares da Força Tática encarregados da preservação do local. O cenário no qual ocorreram a resistência e as mortes decorrentes de intervenção policial também está descrito no documento. O corpo de Eduardo Silva foi encontrado caído no chão do quarto de uma casa, distante cerca de um quarteirão da agência bancária. O entorno também estava preservado por policiais militares, assim como a via pública onde ocorrera a morte de João Santos – neste caso, o encarregado era um sargento, mesmo agente que atuou diretamente na abordagem policial que resultou em morte.

Esse mesmo documento aponta como vítimas a agência bancária, um técnico de eletrônica e nove policiais militares

---

* Os nomes atribuídos às vítimas são fictícios, em respeito à sua memória, à dor dos familiares, e por entender que os ganhos políticos do trabalho não advêm exclusivamente da perspectiva denuncista. Por isso, nesta obra, esse cuidado foi tomado para preservá-las e aos seus familiares de exposição excessiva e desnecessária.

– além de reunir elementos que os identificam, por exemplo: o registro da cor/raça dos PMs (oito policiais de cútis branca e um preta). Como testemunha, há um policial. Na condição de declarantes, são ouvidos o irmão de Eduardo Silva e a irmã de João Santos. Há também informações sobre o condutor da viatura.

Ainda quanto às pessoas que estavam presentes no momento dessa ocorrência, chama atenção a categoria *Autor/Vítima,* que informa a respeito da morte decorrente de intervenção policial e, ao mesmo tempo, da resistência. O documento elenca na condição de *Autor/Vítima* os nomes de Eduardo Silva – pedreiro, solteiro, 32 anos de idade, cútis preta – e de João Santos – profissão não informada, solteiro, 22 anos de idade, cútis parda. Além de duas duplas de policiais lotadas em seus batalhões da polícia militar, respectivamente, Arthur Tavares (solteiro, 25 anos, cútis branca) e Humberto Costa (solteiro, 32 anos, cútis branca), ligados à morte de Eduardo, e Emílio Messias (casado, 49 anos, cútis branca) e Ernesto Figueredo (casado, 46 anos, cútis preta), que estariam ligados à morte de João Santos. Os quatro integrantes são da Força Tática da Polícia Militar.

O BO/DHPP registra também uma lista dos materiais que teriam sido utilizados pelos supostos autores da tentativa de furto e apreendidos durante a ação policial, tais como artigos para viagem, equipamentos de segurança e fiscalização (luvas, lanternas e toucas-ninjas), além de munições. Foram apreendidas também as armas e munições dos policiais que participaram da ocorrência. Junto a essa informação, o referido boletim ainda traz detalhes como o nome da arma, número, marca e calibre e os relaciona aos policiais que as utilizavam no momento da apreensão. Por fim, o documento aponta se havia, ou não, e quantos eram, os cartuchos picotados e deflagrados nessas armas apreendidas, assim como o estado de conservação das mesmas e se estavam ou não acompanhadas de carregador.

Quanto às armas e munições relacionadas aos quatro policiais que teriam participado diretamente da ocorrência de *morte decorrente de intervenção policial* e da *resistência,* nota-se que as quantidades de cartuchos deflagrados e picotados* foram registradas como zero. Já os registros relativos aos civis atestam que teriam sido encontrados com Eduardo um cartucho deflagrado e um cartucho picotado; e com João três cartuchos deflagrados e nenhum picotado.

O boletim de ocorrência descreve, ainda, as vítimas – cor, idade, vestimenta, acessórios, tatuagens, sexo, altura, bem como o local onde exatamente haviam ocorrido os fatos e a indicação de que o corpo de João Santos fora encontrado no necrotério, sem "valores, documentos ou outros objetos em seu poder".

Os fatos são narrados a partir do relato do condutor da viatura, tenente Paulo, que declara ter recebido, no final da noite anterior aos fatos, de um policial militar do Setor de Inteligência do BPM, a informação de que havia indivíduos portando armas longas próximos ao endereço onde se situa a agência bancária. Diante disso, pelo menos nove policiais distribuídos em quatro viaturas deslocaram-se do respectivo DP para o local. O documento relata que ao chegarem ao endereço indicado avistaram "dois indivíduos na citada esquina, portando armas longas". Segundo o mesmo agente, ao notarem

---

* Os cartuchos que compõem uma munição para uma arma de fogo consistem em projétil e os componentes aptos para lançá-lo, isto é, pólvora, aro, espoleta e o estojo, este último é a peça cilíndrica de papelão, plástico ou metal que tem por função unir os elementos para lançamento do projétil, contendo em seu interior a carga de pólvora, a espoleta e, na extremidade, o projétil. Quando ocorre um disparo, em regra, as partes do cartucho se soltam e estes podem se apresentar picotados, ou seja, intactos, ou deflagrados, aqueles que foram detonados ou sofreram o efeito da combustão (RIO DE JANEIRO, 2015).

a presença dos policiais, os indivíduos dispararam contra eles, "os quais, a fim de repelirem a injusta agressão, dispararam contra os agressores". Os homens, então, teriam fugido pela Rua E, local onde havia outros indivíduos armados efetuando disparos contra os policiais, os quais novamente teriam revidado. Nesse instante, ouviu-se uma "grande explosão no interior da agência e os criminosos lograram fugir". Na ocasião das buscas, os policiais se dividiram. O Sargento Prado e sua equipe dirigem-se à Rua B, após avistarem um indivíduo armado que,

> não obstante a ordem de parada, voltou-se na direção dos policiais e efetuou três disparos (com um revólver). Ante a agressão o sargento Ernesto Figueredo afirma ter reagido com quatro disparos e o cabo Emílio Messias com outros dois ou três disparos.

Informa o policial que, cessada a agressão, foi solicitado socorro ao agressor. Tratava-se de João, que foi encaminhado por uma viatura ao Hospital Marcondes, onde faleceu.

O documento ainda registra que, em ação praticamente simultânea, outra equipe de policiais, coordenada pelo Sargento Humberto Costa, seguiu com indicações de policiais que faziam buscas na região e, com "a ajuda de um popular", soube que um dos suspeitos havia adentrado em determinada residência. Então, os policiais Humberto Costa e Arthur Tavares, após chamarem pelos moradores, teriam entrado na casa pela janela, alcançaram o quarto e teriam visto "um sujeito escondido atrás de uma cama lá existente, o qual, conforme o relato dos policiais, apesar da ordem para que saísse do local e se entregasse, efetuou disparos contra eles. Diante disso, com o fim de repelirem a agressão, o Sgt. Costa afirma ter efetuado dois disparos com sua arma e o Sd. Arthur efetuou outros quatro disparos. Cessada a agressão, foi solicitado socorro, porém o agressor faleceu no local", tratava-se de Eduardo.

Segundo o citado BO/DHPP, pelo menos outras oito pessoas teriam fugido e, até aquele momento, os policiais não sabiam afirmar se havia ocorrido a subtração de dinheiro pertencente ao banco. O documento afirma, ainda, que todos os policiais e vítimas envolvidos na referida ação foram submetidos a exames residuográficos.*

Exames periciais preliminares foram realizados nas vítimas. No corpo de João, as lesões perfurocontusas foram identificadas: uma no ombro, duas na coxa direita, uma na região direita do peito, duas na mão direita e uma nas costas. Não foram identificadas testemunhas presenciais do confronto, mas foram elaborados os relatórios de investigação e a recognição visuográfica do local de crime. Já no corpo de Eduardo, a inspeção cadavérica descrita no referido boletim informa que foram encontradas lesões de natureza perfurocontusas, sendo duas delas no crânio, quatro na região peitoral, duas no braço direito e duas no braço esquerdo.

Aparentemente, seguindo um *script* do cotidiano, o delegado chega à conclusão de que a conduta dos policiais militares envolvidos nas mortes dos dois jovens teria sido regular, em conformidade com a ordem jurídica:

> Diante dos trabalhos preliminares realizados e dos elementos colhidos, constata-se que os autores/vítimas fatais participaram do delito perpetrado contra o Banco do Brasil (encontro de luvas, balaclavas etc.). E, no que tange as condutas dos policiais militares, não foram verificadas irregularidades, encontrando-se amparadas por causa excludente de ilicitude. Destarte, foi instaurado inquérito policial para a cabal apuração dos fatos, cujos autos serão encaminhados à delegacia competente deste departamento.[5]

---

* Utilizado para revelar a presença de micropartículas de chumbo, outras substâncias, nas mãos de pessoas que fizeram uso de arma de fogo ou são suspeitas de tê-lo feito (FERREIRA, 2013).

CAMINHOS DE UMA CONFISSÃO: INQUÉRITO POLICIAL E A SEGUNDA VERSÃO OFICIAL

Três dias depois das mortes, o Sgt. Humberto Costa procura a Corregedoria e muda a versão dos fatos. Até aquele momento, não havia processo administrativo disciplinar contra o referido policial, segundo registros no Inquérito Policial Militar na Corregedoria, relatado na audiência de pronúncia e posteriormente confirmado perante o Tribunal do Júri:

> até então a Corregedoria não tinha nenhum procedimento investigatório sobre o caso, existia apenas o inquérito policial militar pela área que o [Humberto] trabalhava, tinha sido instaurado no dia da ocorrência e ele estava com o pai dele e gostaria de confessar, enfim, dar uma versão diferente do que ele teria relatado no dia da ocorrência.[6]

Diante do incomum comportamento do policial, de buscar a Corregedoria para informar a respeito de ilegalidades cometidas por ele mesmo, o tenente responsável pelo inquérito policial militar resolve gravar o depoimento de Humberto Costa, segundo ele "uma situação inusitada, o policial procurar para confessar o crime, que em tese ele teria cometido".[7] O procedimento de apuração e responsabilização na Corregedoria, iniciado nesse dia, só foi concluído em dezembro de 2016, quase dois anos depois.

Três dias após a confissão, com os autos conclusos, outro delegado de polícia passa a atuar no caso, realizando novas diligências para o andamento do inquérito. Entre elas, a recém-incluída informação de um dos policiais que havia atuado na ocorrência tinha alterado sua versão dos fatos na Corregedoria de Polícia Militar.

Mas o que ninguém esperava era que uma notícia, sem nenhuma relação direta com o caso investigado, publicada no blog *Flit Paralisante,* pudesse dar nova visibilidade ao caso. A chamada da matéria dizia: "Alexandre de Moraes critica a PM de São Paulo." Logo abaixo, um comentário de autoria não identificada foi suficiente para abalar a estrutura das polícias:[8]

> [...] estouraram um caixa eletrônico do Banco do Brasil, viaturas da Farça Trágica do [...] e [...] chegaram na hora e houve troca de tiros dois malas morreram até ai tudo bem foda-se!! – Agora vem a merda: Um Sargento 13 com dor na consciência, fanático religioso (nada contra) foi se ater com pastor dizendo que havia feito e o pastor o aconselhou a ir na corró e contar a história, resultado: O maldito arrastou um monte de gente pra cadeia e depois pra rua!![9]

A observação foi registrada no blog na mesma data da matéria, às 08h49. Diante dessa informação juntada oficialmente aos autos, o delegado, no dia seguinte, solicita cópia integral do Inquérito Policial Militar, por meio de ofício e com pedido de urgência.

Em seguida, uma grande emissora também publica em seu portal de notícias matéria sobre o assunto, o que gera nova motivação, externa ao campo do Direito, fazendo com que o delegado responsável pelo caso requisite, mediante ofício, a apresentação de dois dos dezessete policiais presos.

Segundo a referida matéria, "[as] prisões aconteceram depois que o sargento [Humberto Costa] confessou ter executado [Eduardo Silva] com dois tiros". A notícia afirma, ainda, que a justiça havia decretado a prisão de dezessete policiais, "porque todos estariam envolvidos na busca dos bandidos". Apesar de se referir a dezessete policiais presos, o delegado responsável pelo caso havia requisitado apenas a apresentação de dois deles, aqueles que estavam envolvidos diretamente na morte de Eduardo, os policiais Humberto Costa e Arthur Tavares.

Os investigados depõem na delegacia de polícia no dia 26 de janeiro de 2015, sob escolta, devidamente representados por seus advogados, e optam por se manterem em silêncio quando questionados pelo delegado a respeito do ocorrido.

Em mais um movimento de diálogo entre instituições, o delegado junta aos autos os depoimentos de Humberto Costa e de Arthur Tavares, realizados na Corregedoria de Polícia Militar.[10] Nesse mesmo dia, um ofício informa sobre a prisão desses dois policiais, que já estavam no Presídio Militar Romão Gomes, à disposição da Justiça Militar Estadual.

Entre as informações constantes dos depoimentos cedidos à Corregedoria, está a transcrição da fala de Humberto Costa sobre o momento específico dos disparos:

> [...] próxima a parede, neste momento o Sd PM [Arthur] recuou até a porta do quarto, ficando ao meu lado e avisou que havia um homem escondido naquele cômodo. Simultaneamente ao recuo do Sd PM [Artur] até a porta, o indivíduo já foi levantando e se apresentando de forma a gesticular e dizia 'Senhor, de boa, de boa' não sabendo precisar as palavras utilizadas pelo abordado. Foi perguntado ao indivíduo se o mesmo estava envolvido no roubo ao banco, sendo respondido que SIM, neste momento perdi a cabeça fiquei com raiva e efetuei dois disparos de arma de fogo contra o indivíduo abordado. Na sequência, o Sd PM [Arthur] também efetuou disparos de arma de fogo contra o indivíduo, sendo no número de quatro, totalizando 6 (seis) disparos contra o homem abordado.
>
> Entrei em desespero e o Sd PM [Arthur] me entregou um revólver calibre .32, após ter esta arma em minhas mãos, efetuei 2 (dois) disparos com tal armamento em direção a porta do cômodo.
>
> Pelo primeiro momento após a entrada na residência, saí da mesma e fui até a viatura, que estava estacionada na Rua, solicitei apoio do Resgate e SAMU.
>
> Chegaram outros policiais para apoio e Oficiais que tomaram ciência dos fatos acontecidos no interior da residência, bem como a ocorrência teve dados passados ao [...] DP e apresentada perante o DHPP.
>
> Todavia a versão apresentada foi a de que o indivíduo morto havia saído de trás da cama e portando um revólver calibre .32 teria efetuado

disparos em minha direção e também na direção do Sd PM Arthur, motivo pelo qual teríamos nos defendido e alvejado tal indivíduo com disparos de nossas armas de fogo.

Após a saída do DHPP, me desloquei até o [...] e perante o Oficial de Serviço apresentei a mesma versão narrada anteriormente sobre os fatos acontecidos e simulados no interior da residência.

Já o soldado Arthur manteve sua versão inicial dos fatos.

Naquele mês de janeiro, foram ouvidas como testemunhas alguns dos familiares das vítimas: o avô de João; o irmão e a namorada de Eduardo, Marina. Eles foram provocados pelo delegado a falar, não só a respeito dos fatos, mas também das características das vítimas, da natureza dos relacionamentos que elas mantinham com essas testemunhas e se as vítimas tinham antecedentes criminais ou *envolvimento com entorpecentes*.

Ao responder às questões – não transcritas no depoimento –, o avô de João contou que o rapaz era o mais novo dos quatro netos que ele havia criado desde que perdera sua filha num acidente de carro ocorrido há mais de vinte anos. E que João morava numa casa construída em cima da dele, com companheira e um filho, que à época dos fatos tinha apenas dez meses. Era porteiro, porém estava desempregado, por isso fazia *bicos* como ajudante geral. E acrescenta, respondendo às perguntas:

> não tinha passagem pela polícia e não tinha envolvimento com entorpecentes, e quanto aos fatos, apesar de não ter presenciado, afirma que ouviu comentários que seu neto estava desarmado e, no momento da abordagem, pediu para não morrer, pois tinha um filho pequeno para criar, mesmo assim foi morto pelos policiais.[11]

Assim, pela primeira vez surge uma informação que coloca a abordagem da qual João foi vítima também em destaque, tendo em vista que até então as denúncias realizadas referiam-se apenas à abordagem da qual Eduardo havia sido vítima.

No mesmo dia, outras testemunhas depuseram para esclarecer detalhes sobre a morte de Eduardo. Inclusive seu irmão, que afirma que os dois tinham uma relação amistosa, que Eduardo era solteiro, tinha uma namorada e, apesar de estar desempregado à época dos fatos, costumava trabalhar de ajudante geral. Respondendo às questões do delegado, afirmou que:

> "[Eduardo] não tinha passagem pela polícia, nunca foi preso ou apreendido e nunca se envolveu com crime, 'foi uma surpresa para todos nós quando soubemos destes fatos' [sic]."[12]

O depoente ainda informa que soube da morte do irmão por intermédio de um policial, horas depois da ocorrência do fato.

Dois dias depois, Marina, namorada de Eduardo, é ouvida na delegacia, diz que eles estavam juntos havia quatro anos e que o rapaz "era conhecido pelo vulgo de 'LÁPIS' por ser negro alto e magro".[13] Quanto ao dia dos fatos, afirmou que estava em casa com o namorado e com familiares aguardando a virada de ano, quando por volta das vinte e três horas Eduardo disse que iria até o local onde as pessoas costumavam se reunir para acompanhar a queima de fogos. Inclusive, ele a teria chamado para ir também, mas ela recusou porque havia outros parentes em sua residência, então combinou que iria mais tarde.

> Por volta da meia-noite e meia a depoente saiu ao encontro de [Eduardo], no caminho ouviu comentários de que ali próximo teria havido uma tentativa de furto a um caixa eletrônico do Banco do Brasil onde teria ocorrido tiroteio entre os bandidos e policiais. A depoente saiu ao encontro de [Eduardo] porém não o encontrou soube que durante o tumulto e o tiroteio várias pessoas correram em várias direções ouviu inclusive que um dos suspeitos estava morto no interior de uma residência próxima daquele local.

Da mesma forma que os familiares da outra vítima, ao ser questionada sobre a relação de Eduardo com "drogas" ela respondeu que:

> [Eduardo] nunca se envolveu com crimes, não tinha passagem pela polícia, não fazia uso de 'drogas', nunca portou nenhuma arma de fogo, trabalhava fazendo 'bicos' de Ajudante Geral.[14]

No mesmo dia em que Marina dá seu depoimento, a Corregedoria da Polícia Militar encaminha as munições e outros materiais utilizados ou descartados pelos PMs na ocorrência – são os cartuchos lacrados e deflagrados. Na mesma ocasião, nota-se uma terceira interação entre as instituições, a partir de um ofício da polícia militar para a polícia civil. Nele, entre outras solicitações, o tenente responsável pelo inquérito policial militar afirma a importância de diálogo entre as esferas de responsabilização:

> Considerando a necessidade de produção de provas robustas sobre os fatos, sendo imprescindível o desenvolvimento de um trabalho em conjunto entre as autoridades de polícia judiciária (comum e militar).
>
> E, ao final, solicita o desenvolvimento de Exame de Comparação Balística entre os cartuchos para verificar se características dos cartuchos, bem como o estado de conservação, a marca e os elementos químicos, possuem as características dos que foram apreendidos no dia da ocorrência, bem como, se os deflagrados saíram da mesma arma que foi apreendida.[15]

Na sequência, em 3 de fevereiro daquele ano, é acrescentado aos autos um ofício oriundo da agência bancária cedendo imagens do circuito interno do dia da "tentativa de arrombamento de caixas eletrônicos com uso de explosivos", além das requisições de perícia dos materiais apreendidos, ao Instituto de Criminalística, e inclusão das pesquisas sobre antecedentes criminais das vítimas. No dia seguinte, o delegado da Polícia Civil, diante das novas informações fornecidas pelo avô de João – indicando que ele também teria sido executado –, solicita a apresentação de um terceiro policial militar, Mateus Miranda, presente na data da abordagem, que estava preso por ordem da Justiça Militar. Simultaneamente, o delegado solicita a realização de novas diligências no local dos fatos com o objetivo de identificar possíveis testemunhas oculares ou que tenham informações relevantes para auxiliar nas investigações.

Antes mesmo de ouvir Miranda, mais um policial que poderia ser uma testemunha ocular, o delegado representa em juízo um pedido de prisão temporária contra Arthur Tavares, Humberto Costa, Emílio Messias e Ernesto Figueredo, pelo prazo de trinta dias. Esse pedido recebe parecer favorável do Ministério Público dois dias depois, em 6 de fevereiro, uma sexta-feira, e é acolhido pela justiça na segunda-feira seguinte. Os mandados de prisão são expedidos e cumpridos no dia 10 de fevereiro de 2015, conforme certidões juntadas aos autos. Os réus *Arthur* e *Humberto* continuaram presos na polícia militar, no presídio Romão Gomes, e foram soltos no dia 19 de junho de 2015, na ocasião da audiência de pronúncia.

O relatório de investigação sobre as novas diligências realizadas por dois investigadores, a respeito das circunstâncias da morte de João, informa:

> Após conversarmos com diversos moradores, não logramos êxito em localizar ninguém que tenha presenciado ou que tenha alguma filmagem da ação policial. Todos os entrevistados têm conhecimento da ocorrência, porém somente a partir dos fatos já consumados. Sentimos que a população não quer falar sobre o ocorrido conosco, demonstrando apoio à pronta ação dos policiais militares. Entrevistamos [...], irmã da vítima [João Santos], que nos informou que não tem nenhum material de filmagem e não conhece ninguém que tenha.[16]

No dia 27 de fevereiro de 2015, mesmo sem qualquer intervenção de advogados, o delegado pede a revogação das prisões temporárias de Ernesto Figueredo e Emílio Messias, com base no relatório anteriormente descrito e nas declarações prestadas por esses policiais na delegacia, nesse mesmo dia. Os principais argumentos mobilizados pelo delegado para pedir a revogação das prisões foram:

> Ocorre que, após exaustivas diligências realizadas pelos investigadores desta Equipe Especializada, não encontramos nenhum indício ou prova do afirmado anteriormente. Ao contrário, diversos moradores do local foram uníssonos em afirmar que aprovam a ação dos policiais militares e que ambos agiram de forma correta e com lisura. Ouvidos no dia de hoje, ambos negaram veementemente qualquer acusação de execução e ratificaram as informações anteriormente dadas.[17]

O documento ainda afirma, ao final, que as investigações prosseguiriam para se buscar a "verdade real dos fatos". Mesmo sem ter parecer do Ministério Público, a revogação dessas prisões é concedida no mesmo dia, conforme decisão publicada e alvarás de soltura juntados aos autos. Miranda só seria ouvido uma semana depois, em 4 de março de 2015.

A CONCLUSÃO DA POLÍCIA CIVIL: DEMARCAÇÃO DOS EXCESSOS

A fase investigativa é concluída e o delegado é contundente no relatório final de investigação, sinalizando uma execução cometida por Humberto e Arthur, e apontando excesso na conduta de Emílio Messias e Ernesto Figueredo, na condição de policiais militares em serviço:

> Ressalte-se que a vítima [Eduardo] foi alvejada cinco vezes e as trajetórias dos projéteis foram todas de cima para baixo (estava ele deitado, ou ajoelhado?). Com relação a [João], ele foi alvejado sete vezes, em regiões vitais de seu corpo, <u>denotando, s.m.j. excesso por parte dos</u>

policiais militares [Messias e Figueredo]. Diante de todo o exposto acima, principalmente pela confissão de [Costa] realizada na Justiça Militar, usada aqui como prova emprestada, foi por esta Autoridade Policial determinado o formal indiciamento de [Humberto Costa] e [Arthur Tavares] como incursos nos artigos 121, parágrafo 2°, incisos I e IV e 347 do Código Penal e artigo 16, parágrafo único, inciso IV, da Lei n° 10.826/03 (grifos no original).

Não obstante a identificação de excesso na conduta dos policiais Messias e Figueredo, apenas os policiais Humberto Costa e Arthur Tavares são indiciados e têm novamente pedidos de prisão requeridos. Desta vez, prisão preventiva, no dia 8 de abril de 2015.

O relatório que encerra o inquérito policial da polícia civil já começava a apontar caminhos diferentes para as duas abordagens policiais que aconteceram nas primeiras horas do dia 1° de janeiro de 2015. E é no Ministério Público que dois percursos começam a se desenhar de forma mais nítida.

2
TRÂNSITO PELO SISTEMA DE JUSTIÇA

No início de abril, um dia depois de concluído o inquérito, o Ministério Público passa a ser o principal responsável por iniciar uma nova fase do tratamento institucional daquela abordagem policial que resultou em morte. O promotor responsável pelo caso denuncia "em separado" os policiais Humberto Costa e Arthur Tavares, presumidos responsáveis pela morte de Eduardo, e promove o arquivamento do inquérito com relação às condutas imputadas aos policiais Emílio Messias e Ernesto Figueredo, presumidos responsáveis pela morte de João.

DENÚNCIA

A denúncia é dirigida à responsabilização dos autores da morte de Eduardo e pautada nas condutas inscritas no código penal. Sua capitulação é apresentada pelo promotor:

> Cumpre observar que aos indiciados são imputados os crimes de homicídio doloso qualificado e fraude processual (artigo 121, I, Parágrafo 2º, incisos I (motivo torpe) e IV (recurso que dificultou a defesa do ofendido), e no artigo 347, Parágrafo único, combinados com o artigo 29, na forma do artigo 69, *caput,* do Código Penal).[18]

Ao final, um novo pedido de prisão preventiva é apresentado. Nesse ponto, registra-se a mudança na numeração do inquérito policial recebido, que passa a ser identificado como "IP nº AA/2015", e que as nomenclaturas atribuídas aos fatos são plenamente identificadas no Código Penal, ou seja, já não é utilizada a inscrição "morte decorrente de intervenção policial" para se referir aos atos praticados pelos policiais que levaram à morte das vítimas. Nota-se ainda que, apesar da associação entre o nome dos denunciados e um tipo penal, não há uma descrição das condutas que teriam sido praticadas por cada um desses dois réus especificamente.

PROMOÇÃO DE ARQUIVAMENTO

A promoção de arquivamento do inquérito em relação aos outros dois policiais, presumidos responsáveis pela morte de João, é feita pelo mesmo promotor, no mesmo dia. Nesse documento, já há uma descrição dos fatos e condutas aos quais o pedido de arquivamento se refere:

> O incluso inquérito policial foi instaurado para apurar, dentre outros fatos, as circunstâncias da morte de [João Santos], ocorrida em 1º de janeiro de 2015, na Rua E, 99, [Bairro Nazaré], em decorrência de intervenção policial e resistência praticada pela vítima fatal, envolvendo os policiais militares [Emílio Messias] e [Ernesto Figueredo] em razão de disparo de arma de fogo, produzindo-lhe ferimentos que foram a causa de sua morte, consoante laudo de exame necroscópico.[19]

A importância desse documento está no fato de que ele pode pôr fim ao procedimento de apuração e responsabilização na esfera criminal, por isso é relevante apresentar o trecho específico que corresponde às razões pelas quais o promotor pede o arquivamento do inquérito:

> Os policiais militares continuaram a perseguir o indivíduo posteriormente identificado como sendo [João Santos], aparentemente ferido

e apresentando sangramento. Novamente foi dada voz de parada, momento em que [João Santos] se virou e passou a efetuar disparos de arma de fogo na direção dos milicianos, sendo que [Emílio Messias] e [Ernesto Figueredo] revidaram à injusta agressão e também efetuaram disparos, atingindo o suspeito, que foi socorrido até o Hospital Santa Marcelina, onde faleceu.

A versão apresentada por [Emílio Messias] e [Ernesto Figueredo], respectivamente, [...], foram corroboradas pela testemunha [...], bem como pela apreensão do revólver calibre .38, marca Taurus, do suposto meliante, com 3 (três) cartuchos íntegros e com 3 (três) cartuchos deflagrados (fls. 60/62).

Diante do apurado, a versão de [Emílio Messias] e [Ernesto Figueredo] restou corroborada por outros elementos de prova, restando cristalino que arrostou iminente e injusta agressão, atingindo o meliante em legítima defesa de terceiro (grifos suprimidos do documento original).[20]

Ao concluir seu pedido de arquivamento, o membro do Ministério Público apresenta, inclusive, os elementos pelos quais ele discorda da ideia de excesso de uso da força identificada no documento elaborado pelo delegado (no relatório final). Afirma ele:

> Não há que se falar em excesso punível, pois agiu em medida compatível à iminência da agressão a ser perpetrada pelo meliante que estava armado e apontava a arma para os milicianos e contra eles disparava, com o evidente objetivo de resistir à prisão em flagrante. [...] Pelo acima exposto, não havendo crime doloso contra a vida, pois [Emílio Messias] e [Ernesto Figueredo] agiram amparados pela excludente da legítima defesa, promovo o ARQUIVAMENTO do presente inquérito policial [...].[21]

Os pedidos formulados pelo Ministério Público são acolhidos pelo juízo da Vara do Tribunal do Júri, mas em datas diferentes. O recebimento da denúncia e a decretação das prisões preventivas de Humberto Costa e Arthur Tavares são feitos ainda no dia 9 de abril de 2015. Já quanto ao arquivamento, o pedido é aceito, no dia 15 de abril, sob a seguinte justificativa:

> Com relação aos investigados [Emílio Messias] e [Ernesto Figueredo] não há outra solução nesse momento que não o arquivamento do inquérito, uma vez que, aquelas primeiras notícias de que a conduta desses investigados seriam iguais a dos outros réus, da mesma equipe, não ficou confirmada com elementos idôneos. A I. Delegado afirmou que populares diziam ter filmagens da abordagem da polícia e da execução da vítima por eles, mas a verdade é que essa prova não aportou nos autos.
>
> O que existe é tão só a desconfiança do avô da vítima, movida por falatórios que sequer foram reproduzidos diante da I. Delegado que investigava a conduta de [Emílio] e [Ernesto].
>
> Assim, promovo o arquivamento da investigação com relação a eles [...].[22]

Em resumo, até aqui tem-se uma ocorrência policial com dois desdobramentos bem distintos. No primeiro, dois policiais participaram de uma abordagem que resultou na morte de uma pessoa e, após a confissão de um dos PMs na corregedoria da polícia, mobilização dos familiares e divulgação do caso em diferentes veículos de comunicação, a investigação policial foi concluída com o indiciamento dos dois policiais envolvidos: o Ministério Público denuncia os policiais por prática do crime de homicídio. No segundo, quase que de maneira simultânea à primeira ocorrência, outros dois policiais participaram da abordagem que resultou na morte de uma outra pessoa. Nesse caso, mesmo havendo mobilização dos familiares da vítima apontando para uma possível execução, e a investigação da polícia civil sinalizando excesso por parte dos policiais envolvidos, o Ministério Público sustentou a existência de legítima defesa e pediu o arquivamento do inquérito policial, que foi acatado pelo juiz. Essas duas dinâmicas, profundamente diferentes, são ilustradas na figura a seguir.

Figura 1 – Representação gráfica da dinâmica dos fatos e das escolhas dos principais atores institucionais

- PM Humberto Costa
- PM Arthur Tavares
- Vítima letal: **Eduardo Silva**

- PM Emílio Messias
- PM Ernesto Figueredo
- Vítima letal: **João Santos**

- Confissão do PM na Corregedoria
- Divulgação do caso em jornais de grande circulação
- Mobilização dos familiares

- Investigação na Polícia Civil e indiciamento dos envolvidos

- Mobilização dos familiares

- Denuncia PM Humberto Costa e PM Arthur Tavares

- Ministério Público

- Promove o arquivamento do inquérito policial em relação ao PM Emílio Messias e PM Ernesto Figueredo

- Juízo recebe a denúncia
- Juízo determina o arquivamento

Fonte: Elaborada pela autora (2020).

Nota: Embora desde o dia 24 de fevereiro de 2015 o Tribunal de Justiça de São Paulo tenha instituído audiências de custódia, visando à apresentação de presos em flagrante ao juiz para serem ouvidos em até 24 horas, com o intuito de analisar imediatamente o cabimento e a necessidade da prisão, não se observou o emprego do referido instituto no caso aqui descrito.

PERCURSO ATÉ A PRONÚNCIA

O processo então prossegue unicamente em relação aos réus Arthur Tavares e Humberto Costa, com advogados diferentes, os quais apresentam defesas preliminares dentro do prazo legal, que são recebidas em 8 e 14 de maio de 2015, respectivamente. Mesmo dia em que se observa um novo movimento de interação entre as esferas jurídicas (administrativa e criminal), dessa vez entre a Corregedoria e a Vara do Tribunal do Júri, com a primeira solicitando cópia integral do processo criminal à segunda.

No mesmo dia em que Humberto Costa apresentou sua defesa preliminar, seu advogado requereu a instauração de incidente de insanidade mental, por entender que seu cliente apresentou um quadro pós-traumático após a ocorrência do dia 1º de janeiro de 2015, o que teria levado o réu a procurar a Corregedoria e contar uma nova versão dos fatos. Por outro lado, a pedido da juíza que atuava no caso, novos laudos periciais são incluídos nos autos no dia 6 de maio. Os documentos correspondem ao exame de local, exame papiloscópico e aos relatórios de análise elaborados por peritos criminais do Instituto de Criminalística da Superintendência da Polícia Técnico-Científica da Secretaria da Segurança Pública do Estado de São Paulo.

Seis meses após as mortes, uma nova etapa do processo em âmbito criminal é iniciada. A audiência de instrução e julgamento contou com a presença dos dois corréus e de seus respectivos advogados contratados. Na condição de testemunhas, o delegado que havia presidido o inquérito na polícia civil, o tenente que havia presidido o inquérito policial militar e Marina, namorada do Eduardo. Os depoimentos foram transcritos e disponibilizados nos autos do processo criminal. A publicação do desfecho da audiência de instrução e julgamento é feita dois dias depois e os réus são pronunciados para serem posteriormente julgados pelo Tribunal do Júri. Nessa ocasião, eles são soltos para responder o processo em liberdade provisória. Essa medida foi, posteriormente, atacada pelo Ministério Público, por meio de Recurso em Sentido Estrito, respeitado o prazo legal.

Novos rumos são dados ao processo mais de um ano depois, quando, em agosto de 2016, o réu Arthur, por intermédio de seu advogado de defesa, pede o desmembramento do julgamento no Tribunal do Júri. Para os advogados que assinaram a petição, havia uma *colidência* entre os interesses dos dois corréus, tendo em vista que Arthur, não obstante as declarações de Humberto Costa, manteve a versão inicial. Na prática, isso significava que, segundo o pedido, os dois réus seriam julgados em dias diferentes, por Conselhos de Sentença diferentes. O Ministério Público se posiciona de forma contrária, por entender que não havia requisitos legais, fazendo menção ao art. 469 do CPP, que dispõe sobre as hipóteses legais de desmembramento de julgamentos.* Mas o pedido de Arthur é deferido pela juíza que entende que os réus apresentaram versões antagônicas dos fatos:

> Dessa forma, tem-se que a defesa do acusado [ARTHUR] restará demasiadamente prejudicada caso os réus sejam levados a plenário em sessão una, pois além de sustentar a sua própria versão em relação aos fatos, deverá, também, apresentar tese defensiva em relação aos argumentos apresentados pela defesa do corréu [HUMBERTO].[23]

---

* Art. 469 do Código de Processo Penal: "Art. 469. Se forem 2 (dois) ou mais os acusados, as recusas poderão ser feitas por um só defensor. § 1º A separação dos julgamentos somente ocorrerá se, em razão das recusas, não for obtido o número mínimo de 7 (sete) jurados para compor o Conselho de Sentença. § 2º Determinada a separação dos julgamentos, será julgado em primeiro lugar o acusado a quem foi atribuída a autoria do fato ou, em caso de coautoria, aplicar-se-á o critério de preferência disposto no art. 429 deste Código." (BRASIL, 1940, n.p.).

Portanto, mesmo não havendo previsão legal expressa a respeito da hipótese de desmembramento de processo em função de colidência de interesses entre corréus, o juízo acolhe o pedido. Podemos resumir esse desdobramento como disposto na Figura 2.

Os julgamentos perante o tribunal do júri são marcados para o mês de fevereiro de 2017, mais de dois anos depois dos fatos. Mas, entre a decisão que determinou o desmembramento do processo e o efetivo julgamento dos réus, é declarada a decisão do Conselho de Disciplina – processo da esfera administrativa que buscou a declaração de incapacidade moral dos

Figura 2 – Representação gráfica do desmembramento do processo

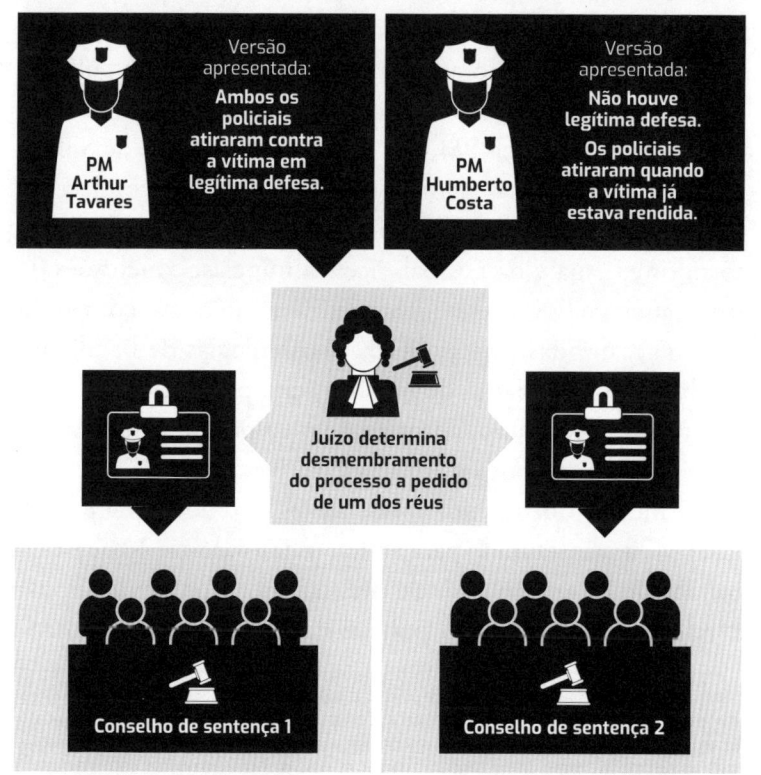

PM Arthur Tavares — Versão apresentada: Ambos os policiais atiraram contra a vítima em legítima defesa.

PM Humberto Costa — Versão apresentada: Não houve legítima defesa. Os policiais atiraram quando a vítima já estava rendida.

Juízo determina desmembramento do processo a pedido de um dos réus

Conselho de sentença 1

Conselho de sentença 2

Fonte: Elaborada pela autora (2020).

policiais militares –, a qual foi juntada aos autos do processo criminal e forneceu insumos para os julgamentos no júri.

DECISÃO FINAL DO CONSELHO DE DISCIPLINA*

Além do processo criminal, os policiais também responderam processo na esfera administrativa. Embora as estratégias de defesa dos PMs tenham produzido um completo esvaziamento da possibilidade de responsabilização frente à administração pública, o procedimento administrativo gerou diferentes produtos para o desfecho do processo criminal, conforme veremos.

Na segunda semana de dezembro de 2016, ano seguinte às mortes dos jovens, chega aos autos a informação de que o policial Arthur havia sido exonerado da polícia militar. Também é encaminhado o assentamento individual do policial, do qual constam o histórico do profissional na corporação desde seu ingresso na PM, em 2011, na Formação de Soldados. Há os registros de láureas de mérito pessoal, condecorações, elogios individuais e medalhas, assim como acidentes sofridos em sua vida pessoal, licença núpcias, conclusões de sindicâncias e IPM's referentes a outras abordagens com arma de fogo realizadas pelo policial, transferências de batalhões, recebimento de doação de revólver feita por outros policiais da própria corporação, autorização para portar arma pertencente à PMSP, de folga e em serviço ativo.

O mesmo documento apresenta registro do Inquérito Policial Militar instaurado para apurar os fatos do dia 1º de janeiro, datado de março daquele mesmo ano. Conforme aponta o referido documento, o policial Arthur continuou partici-

---

* Segundo a Lei Complementar nº 893/2001, o Conselho de Disciplina é um processo regular por meio do qual a polícia militar busca "declarar a incapacidade moral" do praça com 10 anos ou mais de serviço policial-militar para permanecer na ativa da PM, e pode ser instaurado, independentemente da existência ou da instauração de inquérito policial comum ou militar, de processo criminal ou de sentença criminal transitada em julgado. (BRASIL, 2001, n.p.).

pando de atividades administrativas e de formação, a exemplo dos estágios de atualização profissional, realizados no mês de setembro do ano das mortes e em março do ano seguinte.

Assim como Arthur, Humberto Costa pediu e obteve exoneração.

O processo, ao qual ambos foram submetidos administrativamente, se desenvolveu com as seguintes imputações:

> foram acusados do cometimento de atos atentatórios à Instituição e ao Estado, aos direitos humanos fundamentais e desonrosos, consubstanciando transgressão disciplinar de natureza grave [...], por terem, em síntese, [...] efetuado disparos de arma de fogo desnecessários, causando a morte de pessoa a quem se atribuía a prática de crime de furto a caixa eletrônico, a qual estava desarmada e rendida no interior de um imóvel, além de terem imputado a ela, falsamente, a posse e o uso de uma arma de fogo contra a guarnição policial que compunham, disparando-a e alterando o local dos Fatos de forma a simular que suas ações foram legítimas [...].[24]

A sanção administrativa proposta pelo Conselho de Disciplina responsável pela apuração das condutas dos policiais corresponderia à expulsão dos transgressores dos quadros da polícia militar de São Paulo. Porém, em virtude dos respectivos pedidos de exoneração realizados pelos próprios policiais, essa sanção perdeu o efeito quando pronunciada a decisão final, fazendo com que o processo fosse arquivado.

OS JULGAMENTOS PERANTE O TRIBUNAL DO JÚRI E SEU DESFECHO, A PARTIR DA OBSERVAÇÃO

O JÚRI DE ARTHUR, O POLICIAL QUE NEGOU A EXECUÇÃO

No dia 2 de fevereiro de 2017, quando seria realizado o julgamento de Arthur, no Tribunal do Júri, uma das testemunhas considerada imprescindível pelo Ministério Público para julgamento do réu não havia sido localizada, e essa informação só chegou naquele dia. Tratava-se de Marina, namorada de Eduardo. Nessa ocasião, o Ministério Público pediu a substituição dessa testemunha pelo tenente Mário Fagundes, nome até então não mencionado nos autos do processo criminal. O júri foi remarcado para o dia 4 de maio de 2017.

Às 13h50 do dia 4 de maio, pouco antes do início do julgamento, uma pequena movimentação é percebida no auditório que constituía o plenário 14. O advogado de defesa, diante das pessoas que aguardavam o momento do sorteio que constituiria o corpo de jurados, de estudantes de Direito e de funcionários que atuariam naquele júri, resolve conversar com os futuros jurados, enquanto a sessão não havia começado oficialmente.

Faltava cerca de meia-hora para o sorteio e o advogado já estava tendo acesso aos futuros julgadores da causa. Após se aproximar da pequena mureta de madeira que separa o auditório do plenário, o advogado, em tom amistoso, ia se apresentando aos jurados, contava piadas e discutia a política recente do país.

Sem qualquer cerimônia – e sem ser interrompido pelo funcionário que também participava do bate-papo –, informava aos ouvintes sobre a sua trajetória profissional, que tinha cerca de 27 anos de atuação como advogado, que já havia trabalhado no Programa do Ratinho e que, antes disso, havia sido policial da Rota* por muitos anos. E, entre mais algumas piadas, captava a atenção de todos ao seu redor com um discurso sobre a corrupção no país e a vontade de virar

---

* A Rota – Rondas Ostensivas Tobias de Aguiar – é uma tropa do Comando Geral da Polícia Militar do estado de São Paulo, mas é também uma modalidade de policiamento do 1º Batalhão de Policiamento de Choque Tobias de Aguiar. Atualmente, é responsável, em todo o estado de São Paulo, pela execução de ações de controle civis e de "contra-guerrilha" urbana e, supletivamente, de ações de policiamento motorizado. Segundo a ONG Human Rights Watch, a Rota é uma das unidades mais letais da Polícia Militar de São Paulo.

parlamentar para "consertar as coisas", conforme afirmou, já que havia sido candidato a vereador e deputado algumas vezes.

A juíza entra na sala, acompanhada do membro do Ministério Público e de outro serventuário da justiça. Com passos firmes e em silêncio, aproxima-se de seu posto. Bem mais novo que o advogado, ele o fez cessar a fala com a sua chegada em plenário. A presença da juíza trouxe à sala inquietações, trocas de olhares entre os funcionários, reposicionamento dos corpos nas poltronas. Quase simultaneamente entrou o membro do Ministério Público, que rapidamente se posicionou em sua mesa, que contava com pilhas de papéis anotados, cópias do processo, um vade-mécum e uma caneta.

Após a realização do sorteio para composição do júri e pronunciamento das regras do jogo pela juíza, os jurados tiveram trinta minutos para lerem a denúncia. A juíza também advertiu os jurados quanto à presença de uma equipe de reportagem que, autorizada pelo Tribunal de Justiça, encontrava-se ali para filmar a atuação do advogado de defesa.

Tratava-se da equipe de uma agência de jornalismo investigativo independente, a Agência Pública, uma organização sem fins lucrativos cujas matérias têm como premissa a "defesa intransigente dos direitos humanos",[25] segundo eles próprios afirmam. A equipe era formada por dois jornalistas – uma mulher e um homem – brancos, aparentemente jovens. Apostados com uma câmera filmadora no canto esquerdo do auditório, filmaram toda a primeira parte da intervenção do advogado de defesa. A juíza informou que a autorização era restrita à atuação do advogado, portanto estavam proibidos de filmar os jurados, os réus, o membro do Ministério Público, a própria juíza e os demais funcionários ali presentes.

Dos sete jurados selecionados, quatro já haviam participado de júris anteriormente, segundo o que disseram no momento em que foram escolhidos. A composição dos jurados contava com dois homens, um branco e um negro, que aparentavam ter menos de trinta anos, e cinco mulheres, quatro brancas e uma negra, todas parecendo ter menos de cinquenta anos.

Após a leitura da pronúncia pelos jurados, a juíza passa a explicar brevemente a fase que resultou no inquérito policial da polícia civil. Feito isso, ele chama a primeira testemunha de acusação a ser ouvida, o delegado que conduziu o inquérito policial, o "Dr. Florindo Muniz". Da fala dele, destaca-se que, apesar dos fatos terem ocorrido no dia 1º de janeiro, o caso teria chegado oficialmente ao seu conhecimento dez dias após a confissão do PM Humberto Costa – ocorrida em 4 de janeiro de 2015 –, e "de cima pra baixo". Ainda em juízo, ele afirmou ter ficado sabendo da referida confissão pela imprensa, e, por conta disso, pediu para ouvir os policiais novamente. Segundo Costa, todos os elementos coletados apontavam para uma execução.

A segunda testemunha a ser ouvida foi o Ten. PM Fausto Cruz, que atuou no caso no âmbito da Corregedoria da Polícia Militar e confirmou, entre outras informações e à semelhança do que afirmara na fase de pronúncia, que filmou o depoimento do Sargento Humberto Costa – útil aqui no julgamento de Arthur – em virtude de seu estado emocional, pois, segundo ele, Costa teria ido à Corregedoria acompanhado do pai (que também é pastor e teria orientado o filho a fazer a confissão). Como não é de costume um policial se prontificar a confessar uma conduta ilegal, Fausto Cruz resolveu gravar. Essa gravação foi utilizada em plenário várias vezes, tanto pela defesa, quanto pela acusação. Em seguida, foi ouvido Leonardo Aguiar, como terceira e última testemunha, o dono do carro que teria sido furtado e utilizado na ação dos assaltantes – ele afirmou que não seria capaz de reconhecer os assaltantes, já que, no momento em que foi roubado, estava escuro. Mas a juíza insiste e pergunta de forma mais direta: "o senhor se recorda se o assaltante era negro?"; ao que foi respondido: "quase negro, um mulato"; e completou: "eles pareciam experientes, agiam com calma, pareciam saber o que estavam fazendo".

Foi dispensado pelo promotor o testemunho do tenente Mário Fagundes, arrolado entre as testemunhas pela acusação, e as demais testemunhas não estavam presentes. Isso fez com que o julgamento tivesse um ritmo acelerado, se comparado com outros que a autora assistiu ao longo do tempo dedicado à pesquisa.

Em seguida, foi a vez do interrogatório do réu Arthur, que optou por falar. Dentre o que lhe foi perguntado, respondeu que confirmava tudo o que já havia dito até aquele dia, que em legítima defesa realmente havia efetuado quatro disparos contra a vítima. Empenhado no interrogatório, a juíza reelabora grande parte das perguntas já realizadas na fase de pronúncia. O policial afirmou ainda ter ficha limpa na corporação, ter pedido exoneração do cargo de policial militar e estar atuando como gerente comercial após a saída do serviço público. Respondendo ao promotor, não soube informar o resultado do processo administrativo ao qual também estava sendo submetido por conta da sua conduta.

O advogado de defesa atuou se esforçando em elaborar questões que trouxessem informações a respeito da trajetória profissional do réu dentro da corporação, desde o dia em que ingressou na carreira até seu "último ato em defesa da farda". O réu destacou, respondendo às questões feitas por seu advogado, todas as medalhas, láureas e méritos pessoais recebidos enquanto atuou como PM. Diferentemente do que foi observado em outros julgamentos assistidos, o réu não chorou. Manteve-se de cabeça erguida, olhando nitidamente para a frente.

Às 15h20 iniciaram-se os debates orais, por ordem da juíza. À essa altura, o auditório já não estava mais cheio. Os jurados dispensados não acompanharam o julgamento. Assim, encontravam-se naquele espaço cerca de trinta pessoas, entre as quais, na cena principal, a juíza, o promotor, os sete jurados, dois advogados de defesa, dois serventuários da justiça, o réu e um policial fardado (escolta); do outro lado, assistiam ao julgamento: eu, os dois jornalistas, sentados ao centro da primeira fileira de cadeiras. Na sequência, distribuídos entre a primeira e a segunda fileira, revezando as posições em vários momentos, havia quatro familiares do réu – entre os quais, a mãe e o pai –, quatro estudantes de Direito e três policiais fardados, em pé, na maior parte do tempo ao lado da porta de entrada do auditório. A família da vítima não apareceu durante o julgamento. Os dois irmãos de Eduardo, mencionados e ouvidos na fase de elaboração do inquérito, não foram arrolados pelo Ministério Público na fase de julgamento pelo Tribunal do Júri. E os familiares da vítima não constituíram assistente de acusação para acompanhar de perto o julgamento no Tribunal do Júri e representar seus interesses, o que poderiam ter feito independentemente da atuação do membro do Ministério Público.

A sessão foi suspensa às 15h38 por 20 min, como de praxe, para que os jurados fizessem uma pausa, fossem ao sanitário e tomassem um café. Na volta, o promotor toma a palavra. Saúda a juíza e os jurados, assim como os advogados de defesa, e destaca que, apesar da pouca experiência naquela vara – não ficou claro se a inexperiência se referia àquela vara especificamente ou ao contexto do tribunal do júri –, ele iria dar o melhor de si para que "policial como aquele, que suja a farda que veste e desonra a corporação, fosse devidamente punido".

Para convencer os jurados, o membro do Ministério Público fez uso de todos os recursos possíveis. Reproduziu por, pelo menos, quatro vezes o depoimento dado pelo Sgt. Humberto Costa na Corregedoria; não satisfeito, leu a transcrição do mesmo depoimento que estava presente nos autos, utilizou, por várias vezes, o desfecho do inquérito policial militar, o qual recomendava a expulsão dos policiais. Em suma, para o promotor do caso, o desfecho do processo de responsabilização administrativa era um argumento pró-condenação. A tese sustentada pela acusação era de homicídio doloso qualificado por motivo torpe e por recurso que impossibilitou a defesa da vítima.

Mais uma pausa marca a sessão, dessa vez por um tempo bem menor, cerca de dez minutos.

A defesa do réu era composta por dois advogados, um principal (que se dirigia aos jurados, à juíza e ao público em geral), que já havia se apresentado antes mesmo do início oficial da sessão, e outro, mais jovem (que a todo tempo assessorava o primeiro). Era ele quem buscava as folhas e/ou imagens demandadas pelo outro advogado que atuava performaticamente frente ao Conselho de Sentença. A dupla apresentava-se de forma organizada. Na mesa reservada para a defesa, era possível observar pastas e planilhas alinhadas, enumeradas. Tinham uma lousa utilizada para desenhos e outras representações gráficas que traduziam alguns argumentos técnico-jurídicos.

As saudações de praxe foram reforçadas na fala do advogado pela "felicidade de estar em um tribunal que é presidido por uma mulher", e ressalta, mais uma vez, suas experiências profissionais: "vinte e sete anos só de Tribunal do Júri", por muitos anos policial militar integrante da Rota, e que, naquele papel, já havia, ele mesmo, sido absolvido por diversas vezes. Era "um cristão que serviu ao exército". Continua as saudações aos jurados, ao Ministério Público e aos serventuários da justiça. E, antes de iniciar, externa seus agradecimentos aos jurados, nominalmente, pelo papel que exerceriam naquele dia, ressaltando a importância da participação da população na democracia e do fato de os jurados estarem ali "trabalhando de graça".

O advogado, então, inicia a defesa do réu promovendo uma série de acusações ao Ministério Público, destaca suas deficiências e afirma que a instituição atua alimentada pela mídia. E prossegue dizendo que conhece vários casos que tiveram repercussão porque o Ministério Público os teria "jogado na imprensa". Cita uma matéria do Portal G1, segundo a qual catorze policiais haviam sido denunciados pelo Ministério Público. Ele questiona: "como a mídia sabia disso?!" (o referido caso ainda seria julgado por aquela mesma vara). Passa, em seguida, a explicar os procedimentos administrativos. Naquele momento, os jurados pareciam concentrados. Olhavam fixamente para o advogado, escutando suas explicações. Alguns chegavam a balançar a cabeça concordando com a argumentação.

O advogado, então, passou a ler alguns trechos do processo administrativo, sobretudo aqueles que confirmavam a versão de Arthur.

A principal tese da defesa era a legítima defesa: o policial teria reagido às agressões injustas que poderia sofrer, tendo em vista que a vítima estaria armada e disparara tiros contra ele.

Em seguida, o advogado de defesa passa a descrever a vítima e sugere que as tatuagens no corpo dela tinham diversos significados, desde a representação de que seria assaltante de banco a matador de policial.

Após réplica e tréplica, onde MP e defesa puderam discutir suas teses sob os mesmos argumentos, os jurados votaram.

Absolveram o ex-policial Arthur Tavares das duas imputações que existiam contra ele.

O JÚRI DE HUMBERTO COSTA, O POLICIAL QUE CONFESSOU A EXECUÇÃO

Quinze dias depois do julgamento de Arthur Tavares, teve início o de Humberto Costa, em plenário do júri.

No intervalo entre um júri e outro, fora publicada a matéria produzida pela Agência Pública. Nela, os repórteres que estiveram presentes na cena do primeiro júri escreveram não só sobre o aumento do número de mortes provocadas pela Polícia Militar no estado de São Paulo, mas, sobretudo, a respeito da atuação de um dos advogados, o mais reconhecido e o mais antigo na defesa de policiais militares em casos de abordagens que terminaram em morte de civis. O texto publicado[26] descreve a atuação do referido advogado antes e durante o júri do soldado Arthur, fazendo menção, inclusive, ao fato de ele ter estabelecido contato com as pessoas que, horas depois, viriam a ser juradas do caso.

Assim, quase quinze dias depois do primeiro júri e três dias após a publicação da matéria, teve início o julgamento de Humberto Costa. Diferentemente do júri anterior, estava restrito o acesso de pessoas à sala onde ocorreriam as audiências. Logo na entrada, um pequeno cartaz em negrito e letras maiúsculas advertia: "Atenção. Somente aos jurados é permitida a entrada no plenário antes do início da sessão. Familiares, estagiários e demais pessoas devem aguardar a liberação do plenário. Favor desligar celulares e outros aparelhos sonoros."

Autorizada a entrada do público externo, observava-se que os jurados já tinham sido sorteados. Todos a postos. A mesma juíza explica o procedimento ao júri, lê a pronúncia e informa o desfecho do julgamento, pontuando a absolvição do soldado Arthur.

Aos jurados – quatro mulheres brancas e três homens, dentre os quais um é negro – são dados dez minutos para leitura direta da denúncia. Encerrado o tempo, as testemunhas passam a ser ouvidas.

A primeira a ser inquirida é o delegado que conduziu o caso, cujo testemunho é dado pela segunda vez em juízo, assim como o Tenente Fausto Cruz, que vem logo em seguida. Apesar de a informação de Cruz não diferir muito em relação ao depoimento concedido anteriormente, ele destaca porque resolveu gravar o depoimento dado pelo Sgt. Humberto Costa na Corregedoria: queria se resguardar. Explicou que a filmagem dos depoimentos concedidos na Corregedoria não é um padrão. Mas que naquela ocasião havia um componente diferente, já que não era comum que policiais se apresentassem voluntariamente para relatar infrações por eles mesmo praticadas. Quando questionado sobre a conclusão do Inquérito Policial Militar pela defesa do réu – o advogado aproveitou a ocasião para afirmar sua ignorância sobre o contexto militar e o papel de sua assessoria –, a testemunha afirmou que o resultado do processo conduzido pelo Conselho de Disciplina havia sido arquivado, tendo em vista que os dois PMs investigados pediram exoneração.

Antes de concluir as questões dirigidas a essa testemunha, o advogado pergunta a respeito da garantia dos direitos do PM Humberto Costa no processo administrativo, ao que é informado que Humberto Costa só foi comunicado pela Corregedoria que poderia ter um advogado ao final do seu depoimento, que foi espontâneo. E continua:

> o procedimento de praxe é o policial, após ser ouvido formalmente, ser encaminhado ao Proar (Programa de Acompanhamento a Policiais Militares Envolvidos em Ocorrências de Alto Risco), para onde vão os policiais que se envolvem em qualquer ocorrência grave, desde acidente comum a casos de morte em serviço.

Disse que não foi o que ocorreu com Costa. E completa, afirmando que Humberto Costa não passou pelo Proar, que ele foi recolhido disciplinarmente, mas que deveria ter sido encaminhado (ao Proar) no mesmo dia dos fatos.

Em seguida, é ouvido Miranda, motorista da viatura na ocasião da abordagem, que confirma os fatos relatados na delegacia e acrescenta que conhecia o réu há mais ou menos dez anos, que também ficara preso durante a fase de investigação e que, após os fatos do dia 1º de janeiro, enquanto retornavam ao quartel, não discutiram nada, não mencionaram o caso durante o tempo em que estiveram juntos na viatura.

A última testemunha ouvida é a esposa de Humberto Costa, que traz um tom emotivo às narrativas até então elaboradas. Destaca, em seu depoimento, o tempo de casamento, a relação com o réu, os problemas de saúde de ambos, a experiência prisional do marido. Nessa hora, o auditório já estava vazio. Além de mim, havia apenas as pessoas de praxe em plenário: os jurados, que fitam fixamente a última testemunha; o promotor; o juiz; um policial; a defesa, formada por quatro advogados; e o réu.

Chega a hora do interrogatório do réu. Bem-vestido – de camisa, calça e sapato sociais – Humberto Costa está cabisbaixo. Fala em tom sereno e de forma detalhada. Conta que antes de atirar chegou a dialogar com Eduardo, perguntando se ele morava lá.

Nitidamente constrangido, informa que depois de ter atirado em Eduardo informou ao Copom (Centro de Operações da Polícia Militar) que havia um indivíduo baleado. Ainda em plenário, assumiu que mentiu e afirma que estava buscando cobrir sua equipe para que "meu erro não respingasse sobre meus colegas". Informa que do resultado do inquérito soube apenas que fora arquivado, mas não sabia do desfecho. Tinha catorze anos de polícia. Ao final, conta que, à época dos fatos, passava por problemas cardíacos.

Os debates orais começaram às 15h53. O membro do Ministério Público inicia saudando os diferentes profissionais ali presentes, o juiz, os jurados, os advogados, e diz que vai cumprir os protocolos sem festejos, tendo em vista que o réu é um policial, profissão à qual costuma render homenagens por seu papel na sociedade, e por ser a polícia militar uma das instituições que ele mais respeita – inclusive porque tem parentes lá. Informa que sua arguição terá "precisão técnica". Em seguida, descreve brevemente o processo penal ao qual todos ali estariam submetidos. E sustenta a tese de homicídio doloso qualificado por motivo torpe e recurso que impossibilitou a defesa da vítima.

A defesa de Costa, por sua vez, não deixa clara a sua tese. Mas inicia explicando aos jurados em que consistem os procedimentos administrativos. Faz, nesse momento, uma série de correlações entre áreas administrativa e criminal, utilizando-se de um quadro branco cedido pelo fórum. Em seguida, fala do vazamento do caso para a mídia, critica a atuação do delegado responsável e, diferentemente da estratégia adotada pelo advogado de Arthur Tavares, escolhe não falar da vítima e avisa: "sou cristão! não sou o advogado que fala que bandido deve morrer"; "vou discutir provas técnicas", informa. Apresenta e discute o interrogatório a que o réu Arthur havia sido submetido, uma semana antes ao julgamento na Corregedoria, a partir das imagens filmadas e apresentadas em plenário. O advogado informa, ainda, que há "uma certa rusga entre a polícia militar e a polícia civil", que para ele geralmente ocorre "quando uma polícia quer corrigir a outra de maneira exemplar". No entanto, o advogado não faz uso das informações presentes nos diversos laudos periciais juntados aos autos do processo criminal.

O Ministério Público retorna, na réplica, às 18h20, exigindo dos jurados a condenação do réu e informa que a própria polícia militar havia feito a sua parte, mesmo sabendo que "não há instituição mais corporativa do que a polícia militar".

Na tréplica, os advogados parecem cansados ou menos confiantes. As falas agora reproduzem considerações já feitas, algumas com a voz trêmula e até gaguejando para afirmar que Costa não deveria ser condenado, já que "todos erraram". Voltam a apontar os problemas na apuração do fato, os perigos aos quais os policiais se submetem diariamente, a interferência da mídia.

Pronto para encaminhar a votação dos jurados, o juiz lê os quesitos e dá as últimas orientações. A votação leva em torno de vinte minutos e a sentença é lida em plenário. O réu também é absolvido da condenação de homicídio doloso.

Contudo, ele é condenado por fraude processual, nos seguintes termos:

> "incurso no crime previsto no art. 347, parágrafo único, do Código Penal, à pena total de 06 (seis) meses de detenção, em regime aberto, e 20 (vinte) dias-multa, no mínimo legal, ABSOLVENDO-O das demais imputações. Ao réu ainda é garantido o "benefício" de recorrer em liberdade, tendo em vista que, segundo a própria sentença, não havia se evadido e compareceu espontaneamente a mais de uma sessão plenária designada, desde que teve a concessão da liberdade provisória.

Em ambos os júris, o Ministério Público recorreu, ainda em audiência. Sob o fundamento de que as decisões dos jurados eram manifestamente contrárias à prova dos autos, o Ministério Público postulou a nulidade do julgamento, ao alegar que havia provas suficientes para embasar a condenação de ambos os réus, nos dois crimes. No entanto, os desembargadores da 9ª Câmara de Direito Criminal do Tribunal de Justiça de São Paulo entenderam que os jurados decidiram com base na narrativa dos policiais, o que para aqueles julgadores não se mostrava uma

> decisão de todo dissociada do complexo conjunto de informações colacionado aos autos, e esta convicção, firmada com fundamento no acervo probatório, não configura decisão manifestamente contrária à prova dos autos (TJSP, 2018, p.8).

Por isso, negaram provimento ao recurso.

Em fase de execução criminal, em relação à pena de seis meses de detenção, em regime aberto, e 20 (vinte) dias-multa, referente ao crime de fraude processual cometido pelo ex-PM Humberto Costa, esta não foi integralmente cumprida, pois o sentenciado foi beneficiado pelo Decreto Presidencial nº. 9.246/2017, que concedia indulto natalino. Na decisão que extinguiu a punibilidade do ex-PM, com base no referido decreto, o juiz assegurou:

> O pedido é procedente. De acordo com as informações constantes dos autos, o sentenciado, primário, condenado pela prática de crime sem grave ameaça ou violência à pessoa, atingiu a fração mínima de 1/5 (um quinto) de cumprimento de pena até 25.12.2017. Ademais, apresentou bom comportamento carcerário e não há registro de prática de faltas graves nos doze meses anteriores à publicação do decreto. [...] O indulto ora concedido alcança a pena de multa cumulativamente aplicada. Expeça-se alvará de soltura, se o caso. Encaminhe-se cópia desta decisão à Vara de Origem, TRE e IIRGD, juntamente com a certidão de trânsito em julgado, que servirá de ofício para todos os fins, arquivando-se oportunamente os autos.[27]

Portanto, a fase de execução da pena, na qual o sentenciado inicia o cumprimento da sanção atribuída na sentença, foi iniciada em julho de 2019 e perdeu sua finalidade três meses depois.

3
RESPONSABILIDADE CIVIL

Durante a pesquisa, não foi possível identificar pedido ou requerimento dos familiares desse caso em ação reparatória de danos morais e materiais em âmbito civil, não obstante as buscas livres no Google, no portal eletrônico do Tribunal de Justiça de São Paulo (e-saj), junto ao Núcleo de Cidadania e Direitos Humanos da Defensoria Pública de São Paulo. O contato com a família das vítimas, a partir dos dados constantes dos autos, também não foi bem-sucedido. Tampouco foi viável realizar contato direto com eles durante o julgamento, tendo em vista que, apesar de arrolados num primeiro momento como testemunhas de acusação, ainda na fase de pronúncia, foram dispensados na fase do júri pelo próprio promotor de justiça. Não foram identificados pedidos de desculpas aos familiares das vítimas por parte do Comando-Geral da PM, nem do Secretário de Segurança Pública; e não houve decreto autorizando o pagamento de indenizações, como aconteceu em outros casos identificados na pesquisa.*

Na figura a seguir, apresento um mapa do fluxo processual de responsabilização, construído a partir do caso.

---

* Vide caso do publicitário e do motoboy na seção "Imersões e passagens", no Apêndice.

Figura 3 — Representação gráfica do fluxo processual do caso estudado

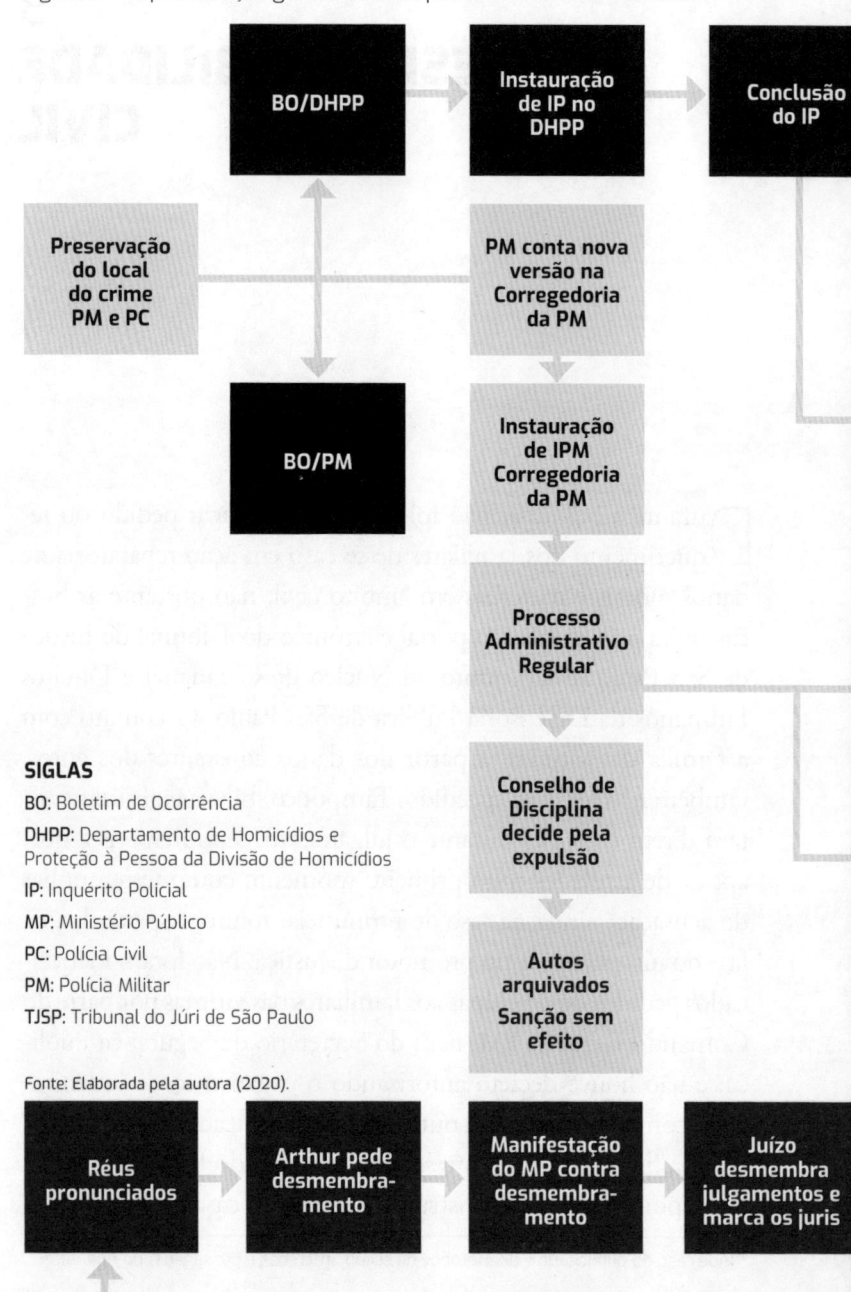

- BO/DHPP
- Instauração de IP no DHPP
- Conclusão do IP
- Preservação do local do crime PM e PC
- PM conta nova versão na Corregedoria da PM
- BO/PM
- Instauração de IPM Corregedoria da PM
- Processo Administrativo Regular
- Conselho de Disciplina decide pela expulsão
- Autos arquivados Sanção sem efeito
- Réus pronunciados
- Arthur pede desmembramento
- Manifestação do MP contra desmembramento
- Juízo desmembra julgamentos e marca os juris

SIGLAS
BO: Boletim de Ocorrência
DHPP: Departamento de Homicídios e Proteção à Pessoa da Divisão de Homicídios
IP: Inquérito Policial
MP: Ministério Público
PC: Polícia Civil
PM: Polícia Militar
TJSP: Tribunal do Júri de São Paulo

Fonte: Elaborada pela autora (2020).

```
MP pede
arquivamento em
relação à morte    →   Juízo autoriza o
de João, referente     arquivamento
aos acusados
Emílio e Ernesto


                              Resposta
                            → a Arthur     ┐
  MP denuncia                               │   Audiência de
  Humberto e                                →   instrução de
  Arthur em                                     julgamento
  relação à morte   →    Resposta          ┐
  de Eduardo              acusação          ┘
                          Humberto
                                                    ↓
                                ↑                Réus
                                │             pronunciados
Arthur                      Humberto
pede                       requer incidente
exoneração                 de insanidade
                               mental
                                                  TJSP
                                                mantém
   Humberto                                    decisão
   pede                                        dos júris
   exoneração
                                Arthur absolvido
                 Juri 1     →   do crime de
                 Arthur         homicídio e fraude
                                processual
                                                    MP
                                                  recorre
                                Humberto
                 Juri 1     →   absolvido do crime
                 Humberto       de homicídio
                                e condenado por
                                fraude processual
```

Assim se deu a entrada e o trânsito dessa abordagem policial que resultou em mortes e foi objeto de nosso estudo de caso. A partir da dinâmica entre as diferentes instâncias, organizações e atores, foi possível descrever um pouco como é composto o sistema de justiça do estado de São Paulo. Todo estudo de caso baseado em pesquisas qualitativas tem suas peculiaridades e é ímpar. Não é possível generalizar, no que diz respeito às escolhas, aos comportamentos e aos critérios decisionais dos diversos atores individuais e institucionais que atuaram especificamente no caso analisado. Mas é factível identificar estruturas e relações que independem das particularidades desse evento único. Assim, tivemos a oportunidade de apresentar a complexidade que circunscreve o tratamento de abordagens policiais que resultam em morte no Direito.

O caso foi escolhido pela peculiaridade da confissão de um dos policiais, pelo seu trânsito em mais de uma esfera jurídica e pela exposição dos fatos na mídia – o que ampliou o acesso a documentos, atores e narrativas e conferiu à situação certo grau de especificidade. Isso traz a possibilidade de observarmos de forma mais detida como se dão os entraves institucionais à responsabilização dos agentes públicos de segurança, notadamente de policiais militares, os limites impostos pela separação de poderes, os diferentes mecanismos de responsabilização, bem como as estratégias mobilizadas para não responsabilizar.

No próximo capítulo, a ideia é abrir foco do nosso olhar. Por um lado, o caso será contextualizado em relação às dinâmicas sociais, políticas e raciais do país nas duas primeiras décadas do século XXI. Por outro, será possível voltar ao caso com um crivo mais analítico, explicitando a estrutura jurídica que respalda os diferentes processos de responsabilização no Direito. O propósito é compreender as dinâmicas e relações que o caso permite observar, inerentes ao tratamento jurídico desse tipo de ocorrência. Dessa forma, os argumentos e as ações dos diversos atores jurídicos que atuaram nos diferentes processos de responsabilização irão aparecer sob uma nova luz, para além do manto da formalidade que cobre a atuação das instituições tradicionalmente aceitas como responsáveis por atos decisórios.

Parte 2
RESPOSTAS ESTATAIS À *POLÍCIA* QUE MATA

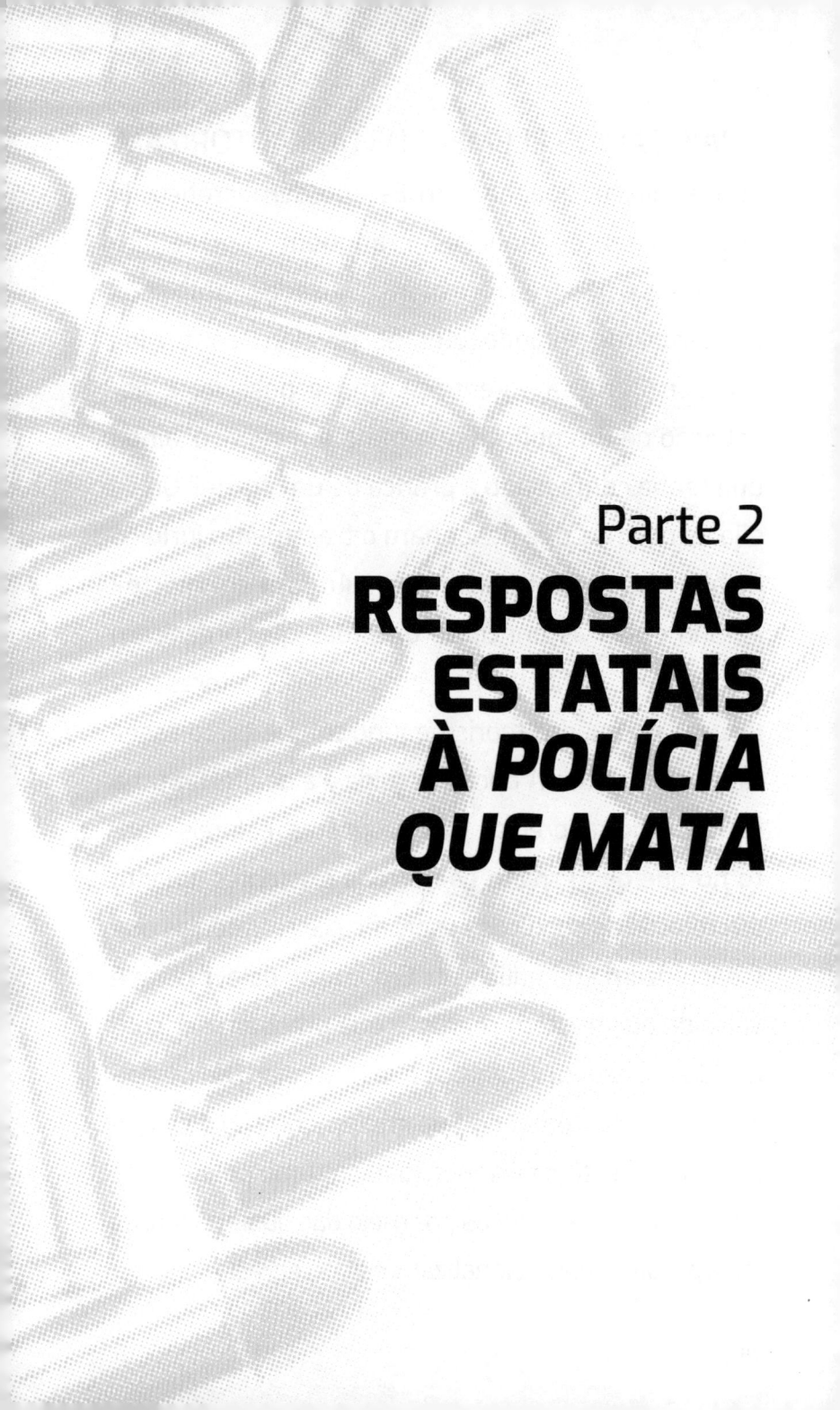

QUAIS SÃO OS ELEMENTOS QUE AUTORIZAM, ou permitem, que, em um Estado democrático de direito, agentes policiais pratiquem mortes em serviço sem serem responsabilizados por seus atos, mesmo quando eles se revelam contrários à ordem jurídica vigente? Como é possível a absolvição de um policial que mata em serviço, ainda que tenha confessado a prática de um crime? Quais são as normas que desenham o tratamento jurídico de abordagens policiais que resultaram em morte?

São essas as principais questões que organizam esta parte, cuja finalidade é ambientar as leitoras e os leitores no quadro teórico e jurídico que cerca esses fatos dramáticos. A opção seguida é a de ofertar uma leitura jurídica precisa das respostas estatais, tanto no que diz respeito às normas existentes, quanto em relação às condições específicas e estratégias que caracterizam sua utilização. Em outras palavras, se é verdade que existem regras — que precisam ser conhecidas —, isso não significa que funcionam de maneira unívoca e automática. Sua implementação depende de um contexto maior — social, cultural, político — e das maneiras específicas por meio das quais os atores incorporam e operacionalizam essas regras.

Assim, vamos explorar quatro elementos centrais que têm estruturado o tratamento de abordagens policiais que resultam em morte no Brasil. Num primeiro momento, a ideia é fazer uma rápida descrição do contexto geral em que essas regras se inserem: o da configuração seletiva de um não Estado de direito. Em seguida, serão apresentados, de maneira sistemática, os dispositivos jurídicos que regem as respostas estatais às condutas letais dos policiais, que se desdobram nas três esferas — criminal, civil e administrativa — e resultam em diversas modalidades de desarticulação. Nas seções finais, serão apontados dois mecanismos que apareceram como cruciais para a compreensão do problema estudado: a indiferença como estratégia de reação à letalidade policial e a não parametrização do uso da força como expediente para garantir a impunidade.

4
POLÍCIA E ESTADO DE DIREITO: UMA SEMENTE QUE NÃO BROTA

Apesar da promulgação da Constituição Federal em 1988 ter trazido importantes alterações normativas concernentes à estrutura da segurança pública, inclusive com criação de novos mecanismos de controle e fiscalização da administração pública, continua vigente uma parte importante da legislação infraconstitucional, elaborada durante a ditadura militar de 1964 a 1987.

Sabe-se que a redemocratização do país, entre 1984 e 1988, não ocorreu de forma contínua, uniforme e linear. Muito embora expressamente reativa à ditadura civil-militar, a transição para o novo regime continuou marcada pela atuação de oligarquias locais, corporativismo, patrimonialismo, perpassando por inúmeras clivagens políticas, como aponta Oscar Vieira (2013). Isso permitiu a promulgação de uma ordem constitucional que possibilitou a manutenção e a perpetuação de práticas institucionais autoritárias. A trajetória do Brasil segue caracterizada por tendências autoritárias, como os demais países da América Latina. O chamado *rule of law* ainda está longe da sua efetivação, como apontavam diversas pesquisas da década de 1990 e 2000.

O *rule of law* remete à ideia de que "seja qual for a legislação existente, ela é aplicada de forma justa pelas instituições estatais pertinentes, o que inclui o Judiciário" (O'DONNELL, 1998, p. 41). Se visto como um paradigma, o *rule of law* refere-se a um conjunto de concepções econômicas, jurídicas e estratégias políticas elaboradas intelectual e economicamente por países desenvolvidos e organizações internacionais, tendo como fim a promoção do crescimento e da modernização econômica dos países em desenvolvimento (O'DONNELL, 2004; TRUBEK, 2006; SCHAPIRO, 2010). Trata-se, portanto, de um aglomerado de ideias e práticas que valorizam a previsibilidade, a transparência e a generalidade da ordem normativa, sempre tendo a imparcialidade da lei como algo a ser prestigiado (VIEIRA, 2008).

Na América Latina, região marcada por níveis extremos de desigualdades socioeconômica e racial, a longa tradição de ignorar a lei e de distorcê-la em favor dos poderosos criou uma lacuna em termos tanto sociais quanto territoriais na vigência do *rule of law,* fenômeno que Guillermo O'Donnell (1999) identificou como um império do *(un)rule of law*. Dessa forma, a manutenção de altos índices de violência na região expressaria, em parte, uma implicação da ausência de *rule of law*. Ao observar os desaparecimentos forçados e massacres que ingressaram no sistema interamericano de proteção dos direitos humanos, ocorridos nas décadas de 1970 e 1980, Paulo Sérgio Pinheiro fala em "execuções sumárias" ou, ainda, em "violações referentes a um *não Estado de direito* que predominou, em quase toda a região, até meados da década de 1980" (PINHEIRO, 2008, p. 80).

O Brasil fazia parte desse contexto. Para Oscar Vieira (2008), a falha nos processos de reorganização do tecido social e, consequentemente, nas políticas de distribuição de recursos, não só aprofunda as hierarquias sociais como inviabiliza a utilização do Direito como ferramenta capaz de conduzir ou mediar a ação dos diversos segmentos sociais entre os quais a polícia se encontra. Na mesma linha, à medida que a sociedade se organiza e consolida as desigualdades, é produzido um sistema de exclusões que alcança tanto os ricos, beneficiando-os, quanto os pobres, penalizando-os duplamente (CUNHA; BORGES, 2011).

No que diz respeito à ação policial, Ludmila Ribeiro e Igor Machado (2016) são categóricos ao afirmar que, no Brasil, "a violência policial nunca foi tratada como um problema público, como um indicador da ausência de *rule of law* e, até mesmo, de profissionalização das forças de segurança" (RIBEIRO; MACHADO, 2016, p. 369).

Casos como aquele narrado na primeira parte desta obra devem ser observados e compreendidos à luz desse não Estado de direito, ou melhor, de um Estado de direito que opera de maneira seletiva e potencializa, de forma perversa, as desigualdades sociais e raciais, historicamente inscritas na sociedade brasileira.

5
DESARTICULAÇÃO DAS REGRAS E FRAGMENTAÇÃO DAS RESPOSTAS

Um outro elemento fundamental que favorece a existência e a perpetuação de práticas policiais lesivas é a ausência de clareza e a excessiva fragmentação das respostas jurídicas, com consequente indefinição da responsabilização de policiais. O não Estado de direito funciona sob a proteção da ideia de um sistema jurídico que persegue a justiça por meio de leis claras e coerentes, por isso as regras do jogo cumprem um papel crucial para a sua manutenção. Mesmo diante desse diagnóstico, esta seção será dedicada à estrutura jurídica que ampara os mecanismos de responsabilização em diferentes esferas do Direito. O objetivo é explicitar as normas que definem condutas, procedimentos e sanções, nas esferas criminal, civil e administrativa.

DEFINIÇÃO DE CONDUTAS
De uma maneira geral, a legislação brasileira determina quais são os comportamentos proscritos em relação às abordagens policiais que resultam em morte.

NA ESFERA CRIMINAL

De antemão, vale ressaltar que, no arranjo jurídico brasileiro, as abordagens policiais que resultam em morte não constituem um tipo penal específico. Existe uma categoria criada em âmbito administrativo para nomear mortes resultantes de ações policiais de pessoas que estariam, por suposição sistemática, em confronto com a polícia: "mortes decorrentes de oposição à intervenção policial" (BRASIL, 2015, p. 65).*

Quando – e se – ingressam na esfera criminal, as condutas em tela podem então ser consideradas um homicídio doloso ou um homicídio culposo, os quais poderão ter como consequência uma sanção correspondente, a depender do êxito do processo. A atribuição de um desses tipos penais vai depender de uma série de instâncias decisórias e da natureza, das circunstâncias e do diploma legal adotado. Para cada tipo penal há um procedimento judicial específico de responsabilização correspondente.

Assim, em regra, se uma morte decorrente de intervenção policial for considerada um homicídio doloso praticado por policial militar, cabe adotar o art. 121 do Código Penal e os ritos de responsabilização deverão ser realizados perante o tribunal do júri, conforme o art. 406 e seguintes do Código de Processo Penal. Caso seja considerado um homicídio culposo, deverá ser observado o art. 205 do Código Penal Militar e, consequentemente, serão aplicados os procedimentos previstos no Código de Processo Penal Militar, o que inclui a instauração de Inquérito Policial Militar (IPM), conforme art. 9º e seguintes do Código de Processo Penal Militar.

---

* A Resolução nº 8, de 2012, da Secretaria Especial dos Direitos Humanos da Presidência da República, aboliu as expressões genéricas "auto de resistência" e "resistência seguida de morte", publicada no DOU de 21/12/2012 (nº 246, Seção 1, pág. 9) (BRASIL, 2012); e a Resolução Conjunta nº 2, de 2015, do Ministério da Justiça, do Departamento de Polícia Federal e do Conselho Superior de Polícia, sugeriu o uso da expressão "mortes decorrentes de oposição à intervenção policial" para a regulamentação e uniformização dos procedimentos internos das polícias judiciárias, publicada no DOU de 30/11/2015 (nº 228, Seção 1, pág. 65). (BRASIL, 2015)

Por último, caso a morte seja considerada um homicídio doloso em circunstâncias de excludente de ilicitude,* como a legítima defesa, são mobilizados o art. 292** do Código de Processo Penal, que autoriza policiais e autoridades competentes a recorrerem ao uso da força necessária para se defender ou para vencer a resistência*** à prisão ou à ordem de determinada autoridade competente; e ainda são aplicados os arts. 23 e 25 do Código Penal, que tratam da possibilidade da legítima defesa como excludente de ilicitude no Direito brasileiro.

A leitura fria dos dispositivos legais esconde a ausência de consenso doutrinário[28] a respeito dos critérios práticos para determinar se uma abordagem policial que tenha resultado em morte é, ou não, crime militar. Isso tem como impacto prático a criação de uma dúvida a respeito da obrigação de o fato ser investigado sob a guarita da justiça comum ou da justiça militar.[29] Somado a isso, a Lei nº 13.491 (BRASIL, 2017), editada em 2017, alterou o Código Penal Militar e tornou mais elástica a hipótese de crime militar nesses casos. Mais adiante, no tópico referente aos aspectos processuais, esse ponto será mais bem explorado.

NA ESFERA CIVIL

As mortes decorrentes de intervenção policial também podem repercutir em âmbito civil. Quando os familiares das

---

* Conforme o art. 23, do Código Penal: "Art. 23 – Não há crime quando o agente pratica o fato: I – em estado de necessidade; II – em legítima defesa; III – em estrito cumprimento de dever legal ou no exercício regular de direito". (BRASIL, 1940, n.p.).

** Art. 292, do Código de Processo Penal: "Se houver, ainda que por parte de terceiros, resistência à prisão em flagrante ou à determinada por autoridade competente, o executor e as pessoas que o auxiliarem poderão usar dos meios necessários para defender-se ou para vencer a resistência, do que tudo se lavrará auto subscrito também por duas testemunhas". (BRASIL, 1941, n.p.).

*** Cabe salientar que quem resiste à prisão em flagrante pratica crime contra administração pública, cuja previsão legal encontra-se no art. 329, que diz: "Opor-se à execução de ato legal, mediante violência ou ameaça a funcionário competente para executá-lo ou a quem lhe esteja prestando auxílio". (BRASIL, 1941, n.p.).

vítimas entendem ter sofrido perdas de natureza moral e material decorrentes da ação que resultou na morte de um parente, eles podem requerer indenização para compensar o dano sofrido. É o que se entende por responsabilidade civil do Estado. As infrações civis e seus respectivos meios de reparação estão previstos na Constituição, art. 37, § 6º, que dispõe que as pessoas jurídicas de direito público responderão pelos danos que seus agentes, nessa qualidade, causarem a terceiros; e assegura o direito de regresso contra o responsável nos casos de dolo ou culpa; no Código Civil, nos arts. 186* e 188**, os quais contêm normas gerais a respeito da responsabilidade civil; e na Resolução nº 08, de 21 de dezembro de 2012, da Secretaria de Direitos Humanos, art. 2º, XIX, que determina a devida reparação às vítimas e a familiares das pessoas mortas em decorrência de intervenções policiais, vigente no desenvolvimento do caso.

NA ESFERA ADMINISTRATIVA

Na esfera administrativa, as mortes decorrentes de intervenção policial também podem produzir consequências jurídicas. Nesse caso, a responsabilização administrativa do policial militar será prevalentemente disciplinar*** e suas características decorrem do pacto federativo adotado pelo Brasil, que delegou aos estados a normatização

---

* Art. 186, do Código Civil: "Aquele que, por ação ou omissão voluntária, negligência ou imprudência, violar direito e causar dano a outrem, ainda que exclusivamente moral, comete ato ilícito." (BRASIL, 2016).

** Art. 188, do Código Civil: "Não constituem atos ilícitos: I – os praticados em legítima defesa ou no exercício regular de um direito reconhecido; II – a deterioração ou destruição da coisa alheia, ou a lesão a pessoa, a fim de remover perigo iminente. Parágrafo único. No caso do inciso II, o ato será legítimo somente quando as circunstâncias o tornarem absolutamente necessário, não excedendo os limites do indispensável para a remoção do perigo. (BRASIL, 2016).

*** Conforme se observa da leitura do art. 12, da LC 893/2001: "Transgressão disciplinar é a infração administrativa caracterizada pela violação dos deveres policiais-militares, cominando ao infrator as sanções previstas neste Regulamento." (SÃO PAULO, 2001).

das formas administrativas de responsabilização. Por isso, apresentam-se as normas relativas à administração pública do estado de São Paulo, especialmente aquelas que afetam a polícia militar desse estado.*

A análise do conjunto normativo circunscrito na esfera administrativa permite observar que não há descrição de uma conduta "típica" compatível com a abordagem policial que resulta em morte. Dessa forma, uma morte decorrente de intervenção policial pode ser encarada como conduta suscetível de gerar uma "ofensa aos valores" e "deveres" da instituição.

O Regulamento Disciplinar da Instituição (RDPM), instituído pela Lei Complementar nº 893, de 09 de março de 2001, ao consagrar a tríplice responsabilidade determina que:

> Artigo 11 – A ofensa aos valores e aos deveres vulnera a disciplina policial-militar, constituindo infração administrativa, penal ou civil, isolada ou cumulativamente.
> § 1º – O militar do Estado é responsável pelas decisões ou atos que praticar, inclusive nas missões expressamente determinadas, bem como pela não observância ou falta de exação no cumprimento de seus deveres.
> § 2º – O superior hierárquico responderá solidariamente, na esfera administrativa disciplinar, incorrendo nas mesmas sanções da transgressão praticada por seu subordinado quando:
> 1 – presenciar o cometimento da transgressão deixando de atuar para fazê-la cessar imediatamente;
> 2 – concorrer diretamente, por ação ou omissão, para o cometimento da transgressão, mesmo não estando presente no local do ato.
> § 3º – A violação da disciplina policial-militar será tão mais grave quanto mais elevado for o grau hierárquico de quem a cometer (SÃO PAULO, 2001, n.p.).

---

* De acordo com o art. 138 da Constituição do estado de São Paulo: "São servidores públicos militares estaduais os integrantes da Polícia Militar do Estado."

Entre os valores* a que o citado dispositivo faz referência taxativamente estão a "dignidade humana" e a "honestidade", no mesmo patamar da "hierarquia", da "disciplina", do "civismo" e da "coragem", significantes que permitem uma ampla elasticidade interpretativa.

No que diz respeito aos deveres, elencados em um total de trinta e cinco, sua formulação apresenta características mais concretas. Por exemplo, os deveres de:

> [...] XXIV – exercer a profissão sem discriminações ou restrições de ordem religiosa, política, racial ou de condição social; XXV – atuar com prudência nas ocorrências policiais, evitando exacerbá-las; XXVI – respeitar a integridade física, moral e psíquica da pessoa do preso ou de quem seja objeto de incriminação; XXVII – observar as normas de boa educação e ser discreto nas atitudes, maneiras e na linguagem escrita ou falada; XXVIII – não solicitar ou provocar publicidade visando a própria promoção pessoal; XXIX – observar os direitos e garantias fundamentais, agindo com isenção, equidade e absoluto respeito pelo ser humano, não usando sua condição de autoridade pública para a prática de arbitrariedade [...] (SÃO PAULO, 2001, n.p.).

O mesmo diploma legal determina, ainda, uma lista de 132 transgressões disciplinares, graduadas entre leves, médias e graves. Dentre essas, sem que seja mencionado específica e explicitamente o desfecho letal da atuação policial, ou sua possibilidade, algumas têm maior correspondência com as abordagens policiais que resultaram em morte. Um exemplo disso é dado por condutas como "desconsiderar os

---

* Conforme art. 7º, da LC 893/2001: "os valores fundamentais, determinantes da moral policial-militar, são os seguintes: I – o patriotismo; II – o civismo; III – a hierarquia; IV – a disciplina; V – o profissionalismo; VI – a lealdade; VII – a constância; VIII – a verdade real; IX – a honra; X – a dignidade humana; XI – a honestidade; XII – a coragem". caso do inciso II, o ato será legítimo somente quando as circunstâncias o tornarem absolutamente necessário, não excedendo os limites do indispensável para a remoção do perigo." (SÃO PAULO, 2001, n.p.).

direitos constitucionais da pessoa no ato da prisão", "usar de força desnecessária no atendimento de ocorrência ou no ato de efetuar prisão", "dar, por escrito ou verbalmente, ordem manifestamente ilegal que possa acarretar responsabilidade ao subordinado, ainda que não chegue a ser cumprida"; "deixar de assumir a responsabilidade de seus atos ou pelos praticados por subordinados que agirem em cumprimento de sua ordem", "tendo conhecimento de transgressão disciplinar, deixar de apurá-la", "omitir, em boletim de ocorrência, relatório ou qualquer documento, dados indispensáveis ao esclarecimento dos fatos", "disparar arma por imprudência, negligência, imperícia, ou desnecessariamente" e "não obedecer às regras básicas de segurança ou não ter cautela na guarda de arma própria ou sob sua responsabilidade", todas classificadas como graves pelo regulamento disciplinar.*

Assim, apesar da ausência de uma descrição específica, explícita e inequívoca da conduta policial que resulte em morte, em âmbito administrativo-disciplinar há uma riqueza de condutas que acabam abrangendo a ação policial letal, manifestando certo controle da administração pública sobre o policial militar. Conforme será evidenciado, na esfera administrativa-disciplinar também há normas de processo e de sanção correspondentes às condutas anteriormente referidas.

Portanto, conforme descrito anteriormente, as abordagens policiais que resultam em morte têm repercussão jurídica em diferentes áreas do Direito – administrativa, criminal e civil –, cada uma com organização normativa própria, disciplinando a atuação de atores e estruturando instituições-chave.

---

* Condutas listadas expressamente no art. 13, parágrafo único, da lei complementar nº 893, de 9 de março de 2001, que institui o Regulamento Disciplinar da Polícia Militar do estado de São Paulo.

ASPECTOS PROCESSUAIS

As consequências jurídicas das infrações penais, civis e administrativas, assim como seus respectivos processos de apuração e responsabilização, dependerão do âmbito de atuação observado.

No caso do processo penal, o início se dá com o recebimento da denúncia formulada pelo Ministério Público[30] junto a um(a) juiz(a) do tribunal do júri. Posteriormente, esse(a) magistrado(a) decidirá se os réus serão pronunciados (quando os réus serão julgados pelo Conselho de Sentença); impronunciados (hipótese em que o(a) juiz(a), após a instrução, não vê ali demonstrada a existência de elementos indicativos do fato alegado na denúncia; ou quando não ficar demonstrada a existência de elementos indicativos da autoria do aludido fato); absolvidos sumariamente; ou encaminhados a outro juízo (hipótese de desclassificação, quando for alterada a classificação do fato). Tudo conforme o Código de Processo Penal.

Mas, se o fato for registrado como homicídio culposo, seguirá o rito da Justiça Militar. A determinação de qual rito seguir nem sempre é tarefa fácil. Há uma divergência judicial* a respeito da atribuição da investigação. A recorrência com a qual a polícia militar investiga abordagens policiais com

---

* Tanto no STF, quanto no STJ, tramitam ações sobre a atribuição para investigar essas ocorrências. Por exemplo, perante o STJ, ver o "Conflito de Competência nº 155.175 – SP (2017/0279236-1)", publicado em 19 de março de 2018, em que a relatora assim se pronuncia: "equivocou-se o Juízo Castrense ao determinar o arquivamento do feito por concluir pela ausência de justa causa e legítima defesa dos policiais. Deveria, na verdade, ter encaminhado o feito à Justiça Comum, conforme previsto no art. 82, § 2º, do Código de Processo Penal Militar ('nos crimes dolosos contra a vida, praticados contra civil, a Justiça Militar encaminhará os autos do inquérito policial militar à justiça comum')". Outras duas ações dessa natureza já tramitaram perante o STF sobre esse específico conflito de competência. A primeira foi em 1997, Adin nº 1494-3, ajuizada pela Associação dos Delegados de Polícia do Brasil (Adepol), com o objetivo de impugnar o §2º do art. 82 do Código de Processo Penal Militar, com a redação dada pela Lei federal nº 9.299, de 07 de agosto de 1996, questionando a possibilidade da polícia militar continuar investigando homicídios dolosos praticados por policiais militares contra civis por meio de inquérito policial militar. A outra é a Adin nº 4164, impetrada pela mesma autora, em 2010, questionando a constitucionalidade dos arts. 1º e 2º da Lei nº 9.299/96.

resultado morte – inclusive com respaldo normativo* – tensiona a implementação da Lei Bicudo, aprovada em 1996, para que os homicídios dolosos praticados por PMs sejam julgados pelo tribunal do júri e não pela justiça militar, sob a justificativa da necessidade da produção de julgamentos imparciais.[31, 32]

Já em âmbito processual civil, as consequências legais ao ato ilícito se destinam a reparar ou compensar o dano sofrido à vítima e aos seus familiares. Tal reparação do dano aos familiares das vítimas pode se dar na esfera administrativa, se houver acordo com o Estado, ou por intermédio da ação judicial de indenização. As abordagens policiais que resultaram em morte, por terem como fato gerador a ação de um agente público, se tornam caso de responsabilidade civil objetiva, que se dá quando o dever de reparar o dano independe da comprovação em juízo de dolo ou culpa por parte do policial militar. Em outras palavras,

> mesmo que a atuação estatal seja perfeitamente lícita, a prestação do serviço público tenha ocorrido de forma incontestavelmente regular, o simples fato de um dano específico ter sido causado a um terceiro na execução da atividade implicará a obrigação de indenizá-lo pelo prejuízo sofrido (ALEXANDRINO; PAULO, 2018).

Nesses casos, a discussão a respeito do dolo e da culpa do PM caberá em eventual ação regressiva, aquela

> posta à disposição do Estado para que este se volte contra o agente público causador do dano a terceiro, a fim de que se devolva ao erário o valor dispendido para indenizá-lo pelo ato ilícito praticado (BARCHET, 2011, p. 566).

---

* Exemplo disso é a Resolução nº 054/2017, da Presidência do Tribunal de Justiça Militar do Estado de São Paulo, que dispõe sobre a apreensão de instrumentos ou objetos em inquéritos policiais militares. Essa se baseia no § 2º do artigo 82 do Código de Processo Penal Militar – que dispõe que nos casos de homicídios dolosos praticados por PM, a Justiça Militar encaminhará os autos do inquérito policial militar à Justiça Comum – e dos Títulos II e III do Livro I do Código de Processo Penal Militar –, que tratam do exercício da polícia judiciária militar e da elaboração do inquérito policial militar.

Conforme o art. 935 do Código Civil, a responsabilidade civil é independente da criminal (BRASIL, 2016). Apesar disso, não se poderá questionar mais a existência do fato, ou o seu autor, quando essas questões já foram decididas no juízo criminal. O processo se desenrola então contra a Fazenda Pública estadual e suas principais diretrizes estão contidas no art. 910 do Novo Código de Processo Civil.

Enfim, em âmbito administrativo, o fluxo processual de responsabilização depende do tipo de infração cometida, da graduação e do tempo de serviço na ativa prestado pelo PM. Assim, os policiais militares podem vir a ser chamados a responder por sindicância ou processo regular.

A sindicância[33] se dá "quando houver a prática de atos irregulares, circunstâncias ou situações que o recomendem e for importante para a preservação da hierarquia e da disciplina."[34] Trata-se de um meio sumário de investigação que busca apurar danos ao patrimônio do Estado, atos indecorosos e de bravura, danos à integridade física de terceiros praticados por PM, mas ela não cabe para apuração de crimes militares – já que nesses casos o procedimento recomendado é a instauração de Inquérito Policial Militar.

O processo regular, por sua vez, visa apurar a incapacidade do PM, e pode ser de três tipos: (a) Conselho de Justificação[35], para "apurar a incapacidade do Oficial de permanecer no serviço ativo ou de permanecer na condição de Oficial na inatividade, para posterior decisão do Tribunal de Justiça Militar (TJM)",[36] (b) Conselho de Disciplina,[37] mobilizado no caso estudado, que busca "apurar a incapacidade moral da Praça com 10 (dez) ou mais anos de serviço policial militar para permanecer no serviço ativo, fornecendo subsídios para decisão final do Comandante Geral";[38]

(c) Processo Administrativo Disciplinar,[39] para "apurar a incapacidade moral da Praça com menos de 10 (dez) anos de serviço policial militar para permanecer no serviço ativo, fornecendo os fundamentos para decisão final do Comandante Geral".[40]

AS DIFERENTES SANÇÕES

Cabe agora analisar em detalhe as diferentes sanções possíveis, nas três esferas jurídicas de responsabilização.

Em âmbito criminal, as sanções estão previstas no Código Penal, art. 121. Em caso de condenação por homicídio simples, pena de reclusão de seis a vinte anos; se homicídio qualificado, reclusão de doze a trinta anos. Os réus podem ainda ser condenados a perder a função, cargo ou atividade pública, tendo em vista dois grupos de dispositivos: art. 43 e seguintes do Código Penal, a respeito da autonomia das penas restritivas de direito; art. 92, do mesmo diploma legal, acerca dos efeitos da condenação criminal. (BRASIL, 1940).

A sanção correspondente será aplicada após a apuração realizada pela polícia civil e do processo penal disciplinado pelo Código de Processo Penal, se for considerado pelo Ministério Público, desde o início da apuração, homicídio doloso praticado por policial militar. Em caso de reconhecimento de crime militar, isto é, na hipótese de homicídio culposo, deve-se atentar ao art. 206, do Código de Processo Penal Militar, que determina uma pena de detenção de um a quatro anos, a qual pode, inclusive, ser agravada se o crime resultar de inobservância de regra técnica da profissão, ou mesmo se o agente deixar de prestar imediato socorro à vítima. Outra hipótese de agravamento da pena está prevista no § 2º desse mesmo art. 206, que é taxativo:

[...] se, em consequência de uma só ação ou omissão culposa, ocorre morte de mais de uma pessoa ou também lesões corporais em outras pessoas, a pena é aumentada de um sexto até metade. (BRASIL, 1969b, n.p.).

Quanto à sanção em sede de responsabilização na esfera civil, ela pode ser determinada tanto para o Estado quanto para o policial.

Por meio de ação judicial indenizatória, o Estado poderá ser condenado a indenizar os familiares da vítima pelos danos materiais e morais. O ressarcimento busca, em princípio, restaurar o estado anterior das coisas, o que no caso da morte limita-se a remediar (GONÇALVES, 2012). Por isso, os danos materiais podem ser ressarcidos por meio do pagamento das despesas com funeral, luto da família, prestação de alimentos devidos pelo falecido, além dos danos emergentes e de lucros cessantes, tudo com a devida correção monetária e a incidência de juros. Os danos morais, por sua vez, são aqueles que atingiram os familiares das vítimas na sua dignidade, ou na dimensão dos direitos da personalidade, de modo a causar-lhes dor, sofrimento, tristeza, angústia, humilhação. Esses são apenas exemplos de danos suscetíveis de reparação, conforme Código Civil.*

Quando o campo de disputa envolve o Estado e o próprio policial infrator, em ação regressiva, caberá ao policial ressarcir à administração pública os gastos realizados com aquela ocorrência.[41] Além do valor em dinheiro, outros modos de reparação foram previstos na já citada Resolução 08/2012 da Secretaria de Direitos Humanos da Presidência. Assim, por exemplo, o acompanhamento psicológico deve ser garantido constantemente aos

---

* O código civil trata especificamente de sanções civis em casos de homicídios no art. 948: "Art. 948. No caso de homicídio, a indenização consiste, sem excluir outras reparações: I – no pagamento das despesas com o tratamento da vítima, seu funeral e o luto da família; II – na prestação de alimentos às pessoas a quem o morto os devia, levando-se em conta a duração provável da vida da vítima", que devem ser lidos junto com os artigos 944 a 946, do referido diploma legal. (BRASIL, 2016).

policiais envolvidos em conflitos que resultaram em morte, e é facultado aos familiares de vítimas de agentes do Estado.*

No caso de infrações administrativas no estado de São Paulo, oriundas de mortes decorrentes de intervenções policiais, a transgressão disciplinar poderá ser sancionada de diferentes formas, conforme dispõe o art. 14 da Lei complementar nº 893/2010, e processada por meio de diferentes ritos e autoridades, os quais dependem da patente e do tempo de serviço prestado.**

As sanções disciplinares aplicáveis aos policiais militares do estado, independentemente do posto, graduação ou função que ocupem, são as seguintes: advertência, repreensão, permanência disciplinar, detenção, reforma administrativa disciplinar, demissão, expulsão e proibição do uso do uniforme, desde que a morte decorrente de intervenção policial enseje simultaneamente em infração administrativa. As sanções são aplicadas após o desfecho do processo disciplinar previsto no mesmo diploma legal, a depender da gravidade da transgressão.

Portanto, conforme mencionado no início desta seção, há processos e sanções em pelo menos três áreas de responsabilização do Direito para tratar as mortes decorrentes de intervenção policial, cada uma delas com seus respectivos instrumentos

---

* Art. 2º, da Resolução nº 8, da Secretaria Especial dos Direitos Humanos, publicada no DOU de 21/12/2012 (nº 246, Seção 1, pág. 9), assim determinava: "XVIII – o acompanhamento psicológico constante será assegurado a policiais envolvidos em conflitos com resultado morte e facultado a familiares de vítimas de agentes do Estado; XIX – cumpre garantir a devida reparação às vítimas e a familiares das pessoas mortas em decorrência de intervenções policiais; XX – será assegurada reparação a familiares dos policiais mortos em decorrência de sua atuação profissional legítima; XXI – cumpre condicionar o repasse de verbas federais ao cumprimento de metas públicas de redução de: a) mortes decorrentes de intervenção policial em situações de alegado confronto; b) homicídios com suspeitas de ação de grupo de extermínio com a participação de agentes públicos; e c) desaparecimentos forçados registrados com suspeita de participação de agentes públicos." (BRASIL, 2012, n.p.).

** Conforme disciplinado pelo art. 71, da Lei complementar nº 893/2010: "O processo regular a que se refere este Regulamento, para os militares do Estado, será: I – para oficiais: o Conselho de Justificação; II – para praças com 10 (dez) ou mais anos de serviço policial-militar: o Conselho de Disciplina; III – para praças com menos de 10 (dez) anos de serviço policial-militar: o Processo Administrativo Disciplinar. (SÃO PAULO, 2001, n.p.).

jurídicos. Nem todos esses instrumentos decorrem de leis; ao contrário, muitos deles estão em disposições oriundas do Poder Executivo e não do Legislativo propriamente dito (FERREIRA, 2019). No entanto, os referidos instrumentos normativos são responsáveis por abordar temas cruciais no tratamento das abordagens policiais que resultaram em morte. Isso não quer dizer que sejam suficientes para enfrentar os problemas que surgem no cotidiano das instituições, ou que elas consigam gerar os mesmos resultados que uma lei específica produziria. Fato é que há um arranjo institucional escolhido pelo Brasil para tratar a letalidade policial e suas especificidades.

Um olhar sistemático sobre esse conjunto de normas deixa evidente o fato de que não existe articulação das regras do jogo. Cada área do Direito trata o problema de uma forma diferente e alheia às demais, produzindo "assim" uma resposta que, no conjunto, é fragmentada. Tal fragmentação constitui um elemento central para a compreensão da persistência da letalidade policial, o que ficou claro no caso aqui apresentado. A existência de diversas regras, que não dialogam necessariamente entre si, tende a provocar dois possíveis efeitos. De um lado, pode produzir uma "hipersancionalização", quando todos os dispositivos legais são acionados e implementados sobre o policial militar, podendo, inclusive, incidir na forma *bis in idem* – isto é, o policial será sancionado duas vezes pelo mesmo fato. Por outro, quando nenhum dispositivo sancionador for mobilizado – ou quando os dispositivos forem mobilizados de maneira ineficaz –, a desarticulação pode dar origem a uma "dessancionalização", ou seja, uma menor sanção, ou a sua completa ausência, quando nenhum dispositivo legal sancionador é acionado, ou o é tardiamente: nesse caso, já não é capaz de surtir qualquer efeito, ou produz efeitos de intensidade negligenciável, fenômeno que pode ser lido como impunidade.

6
INDIFERENÇA COMO ESTRATÉGIA

Embora os esforços de sistematização e divulgação de dados públicos sobre *a polícia que mata* por parte dos governos federal e estadual não sejam claros, importantes indicadores vêm sendo construídos por alguns atores. Apesar de eles não integrarem o sistema de justiça, conseguem contribuir para a produção e divulgação de informações relativas à letalidade policial e ao seu tratamento do ponto de vista institucional, a exemplo do Instituto Sou da Paz e do Fórum Brasileiro de Segurança Pública.

No plano nacional, entre os anos de 2009 e 2016, um total de 21.892 pessoas perderam suas vidas em ações policiais, sendo que 4.222 apenas em 2016, o que correspondeu a um aumento de 25,8% na comparação com o número de intervenções de policiais civis e militares ocorridas no ano anterior. Já em 2017, foram 5.144 civis vítimas dessas ocorrências, o que correspondeu a um crescimento de 20% em relação ao ano anterior (FORUM BRASILEIRO DE SEGURANÇA PÚBLICA, 2018).

No que diz respeito ao perfil das vítimas, os dados ainda revelam que 99,3% são homens, 81,8% têm idade entre 12 e 29 anos, 76,2% são negros. Números que demonstram a similaridade entre os perfis das vítimas da letalidade policial e das vítimas de homicídios em geral: os "jovens-homens-negros" (REIS, 2005), conforme também apontam outros autores (FLAUZINA, 2008; AMPARO-ALVES, 2011; SINHORETTO *et al.*, 2014; LIMA, 2016). O caso estudado comporta-se como uma amostra, embora o perfil das vítimas não tenha sido o único elemento considerado para que fosse escolhido.

É importante observar outra face desse problema: a vitimização policial. Em 2016, houve 453 policiais civis e militares vítimas de homicídio no Brasil, o que correspondeu a um crescimento de 23,1% em relação a 2015. Sobre o perfil dos agentes, 56% desses policiais mortos foram registrados como negros e 98,2% são homens (FÓRUM BRASILEIRO DE SEGURANÇA PÚBLICA, 2017).

Ainda é possível apresentar balanços quantitativos nos planos estadual e local a respeito dessas ocorrências. Só o estado de São Paulo foi responsável por 856 casos no ano de 2016, lembrando que o registro correspondente a todo o Brasil foi de 4.222 mortes decorrentes de intervenções policiais (CERQUEIRA *et al.*, 2018). Cabe salientar que a fonte de dados para a colheta desses números foram os registros policiais, e não aqueles provenientes do Sistema de Informações sobre Mortalidade (SIM), na esfera da saúde pública, daí a diferença em números absolutos em relação a pesquisas que se baseiam no SIM.

No plano local, "2.143 pessoas foram mortas por policiais militares e civis em serviço e fora de serviço na cidade de São Paulo", entre os anos de 2012 e 2016 (INSTITUTO SOU DA PAZ, 2017, p. 4). A pesquisa realizada pelo referido instituto baseou-se em boletins de ocorrência que registraram "mortes decorrentes de oposição à intervenção policial" e mortes de policiais civis.⁴²

Entre 2012 e 2016, 243 policiais foram mortos na capital, dos quais 52 morreram em serviço e 191 durante o horário de folga. Isso mostra que oito a cada dez policiais vítimas fatais de violência morreram em seu horário de folga. A pesquisa ainda trouxe dados referentes à proporção de policiais e civis mortos em suposto confronto.

> Somadas as mortes provocadas por agentes em serviço e fora de serviço, a proporção entre pessoas mortas por policiais militares e pessoas mortas por policiais civis foi 17:1 entre 2012 e 2016. Todavia, a disparidade na participação de policiais civis e militares nas mortes cai sensivelmente entre os agentes fora de serviço no mesmo período – de 32:1, entre policiais em serviço, para 9:1, entre policiais de folga (INSTITUTO SOU DA PAZ, 2017, p. 5).

A pesquisa publicada pelo Instituto Sou da Paz torna-se um importante instrumento para a compreensão de algumas particularidades locais e permite-nos um olhar detalhado da letalidade policial e de seu tratamento na esfera administrativa. O documento apontou que o perfil dos policiais mortos em confronto é formado majoritariamente por "homens, brancos, com idades entre 30 e 44 anos" (INSTITUTO SOU DA PAZ, 2017, p. 5), perfil diferente do âmbito nacional, conforme a já mencionada pesquisa do Fórum Brasileiro de Segurança Pública.

O cotejo das informações nos permite pontuar a particularidade da cidade de São Paulo, onde 60,6% da população se autodeclarou branca no último censo do IBGE, em 2010, e negros somaram, aproximadamente, 37%. O que pode explicar a diferença observada no perfil de policiais mortos em confronto no Brasil e na cidade de São Paulo, no que tange à dimensão racial. Outro dado importante referente às circunstâncias da morte indica que, na maioria das ocorrências, o policial foi morto enquanto estava sozinho (INSTITUTO SOU DA PAZ, 2017).

No que diz respeito à atuação letal da polícia em âmbito local, o Instituto apontou um aumento no número de pessoas mortas, na comparação entre os anos de 2013 e 2014. Foram 214 pessoas mortas em intervenções policiais durante 196 ocorrências, em 2013, e 400 vítimas em 338 ocorrências, em 2014, o que, segundo o Instituto Sou da Paz (2017), correspondeu a aumento de 72,4% de intervenções fatais e 86,9% de vítimas (INSTITUTO SOU DA PAZ, 2017, p. 19). Quanto às circunstâncias e características das abordagens que levaram às mortes de civis, a referida pesquisa afirma que a grande maioria dos casos ocorreu no período noturno, entre 18h e 23h59, com maior concentração em distritos policiais localizados em áreas periféricas, com destaque para as Zonas Leste e Sul da cidade e com uma proporção média de "uma morte de policial para cada nove vítimas de morte decorrente de oposição à intervenção policial (MDOIP) na capital no período de 2013 a 2014" (INSTITUTO SOU DA PAZ, 2017, p. 22).

Ainda quanto às abordagens observadas naquela pesquisa, 24% de todas as ocorrências registradas em ambos os anos foram iniciadas por "fundada suspeita"; as vítimas apresentaram uma média de três perfurações, em 2013, e quatro, em 2014. Em relação à quantidade de policiais atuando em cada ocorrência que terminou em morte, nos anos observados, o Instituto Sou da Paz pontuou a superioridade numérica dos agentes no momento da abordagem,

> "mesmo considerando unicamente os casos envolvendo agentes em serviço, é possível observar que no ano de 2014 houve mais ocorrências

em que os policiais se encontravam em superioridade numérica: foram 67% dos casos com mais policiais em serviço do que suspeitos em 2014, contra 59% em 2013" (INSTITUTO SOU DA PAZ, 2017, p. 30).

Esses números também foram observados no caso estudado. O perfil das vítimas locais não difere do perfil das vítimas identificado nos levantamentos nacionais.

> Entre as vítimas fatais de morte decorrente de oposição à intervenção policial em 2013 e 2014, prevaleceram homens, negros e jovens, com idades entre 15 e 29 anos [...]. Ademais, os jovens com 15 e 18 anos representaram praticamente metade das vítimas jovens identificadas (INSTITUTO SOU DA PAZ, 2017, p. 23).

Quanto aos primeiros mecanismos utilizados pela administração pública para tratar as ocorrências, o Sou da Paz identificou que mais de 80% dos boletins de ocorrência de 2013 e 2014 traziam informações sobre testemunhas e descreviam se elas eram ou não policiais (39,1%, em 2013, e 46,8%, em 2014). Mas o percentual de casos em que todas as testemunhas listadas eram policiais correspondeu a 40% dos casos, em 2013 e 30% dos casos, em 2014 (INSTITUTO SOU DA PAZ, 2017, p. 41). Além da presença excessiva de policiais como únicas testemunhas dos casos analisados na referida pesquisa, outros fatores contribuíram para o levantamento de dúvidas quanto à legitimidade do uso da força letal, como o fato de 6,1% do total de casos, em 2013 e 2014, conterem indícios de excessos por parte dos agentes envolvidos (INSTITUTO SOU DA PAZ, 2017).

O panorama quantitativo observado nesta seção apresenta dados de quase uma década em relação ao contexto nacional e dos dois anos que antecederam o caso estudado, na cidade de São Paulo. Observados de maneira conjunta e associados às duas seções que o precederam, fica difícil supor que tenha havido planos exitosos de redução da letalidade policial e mesmo de mecanismos de controle e monitoramento. Afinal de contas, houve aumento significativo de mortes provocadas por ações policiais em algumas cidades brasileiras, no primeiro semestre de 2020, quando já vigorava o estado de calamidade pública decretado desde que a Organização Mundial da Saúde declarou a pandemia de covid-19, em março de 2020.

Aliás, é bom lembrar que foi durante a pandemia de coronavírus que o Rio de Janeiro registrou a operação policial mais letal da sua história, quando, em 6 de maio de 2021, uma abordagem policial resultou na morte de 27 civis e 1 policial civil, em uma das muitas incursões policiais em favelas do Rio de Janeiro. Nesse episódio específico, ocorrido na Favela do Jacarezinho, há questionamentos dos moradores, de organizações de defesa dos direitos humanos e de inúmeras entidades a respeito da legalidade da operação policial, tendo em vista que o Supremo Tribunal Federal havia restringido o número de operações policiais no Rio de Janeiro durante a pandemia, justamente por conta do aumento da letalidade policial em período pandêmico.

Apesar de os dados quantitativos serem eloquentes, as ações do Poder Executivo federal reforçam o argumento de indiferença, mais ou menos acentuada, a essas mortes. Houve tímidas ações nas gestões do governo Lula e do governo Dilma, a exemplo da edição de atos normativos que buscaram a uniformização da nomenclatura[43] e de criação de meios de controle[44], mas, de maneira geral, o Poder Executivo não assumiu o enfrentamento dessas mortes como uma prioridade, especialmente diante da dimensão racial das ocorrências. Ao contrário, em face da intensificação da vitimização, em especial da população negra, houve uma mudança de posicionamento político do Poder Executivo federal, na vigência da gestão do presidente Jair Bolsonaro, que tende a priorizar a não responsabilização dos agentes envolvidos: vale mencionar, a título de exemplo, o projeto de lei que visava à isenção de responsabilização de policiais militares que atuassem sob alegado excludente de ilicitude.

No campo do Legislativo, estadual e federal, não houve aprovação de lei que enfrentasse a matéria. A estratégia adotada pelos parlamentares tem sido a manutenção de uma ampla zona de discricionariedade para os agentes policiais que atuam nas ruas. O Congresso fecha os olhos para as informações que sinalizam o aumento da letalidade e da vitimização policial.

Assim, constata-se o descompasso presente no arranjo institucional, a ausência de dados oficiais sobre letalidade, vitimização policial, a pobreza de mecanismos de auto-observação do próprio sistema de justiça, a ausência de novidades legislativas para enfrentamento do problema e os recentes posicionamentos individuais e institucionais do chefe do poder executivo. Tudo isso faz supor que o panorama apresentado neste capítulo tem sido ignorado pelas autoridades públicas, que se comportam com indiferença e menosprezo à realidade que continua se impondo em nosso país.

7
USO DA FORÇA FORA DE CONTROLE?

O balanço quantitativo aponta elevadas taxas de mortalidade em situações de atuação policial, e isso nos conduz ao debate a respeito do uso excessivo da força pelas polícias no Brasil. Os abusos ou excessos no uso da força letal constituem uma possibilidade real, tendo em vista a atribuição constitucional da polícia para usar a força e utilizar instrumentos para exercer suas funções. Mas quando e como é possível aferir se tem havido excesso do uso da força pela polícia?

Ao estudar a instituição policial na ordem democrática, Cristina Neme (1999) sugeriu que o descompasso existente entre a lei e o funcionamento das instituições policiais, sobretudo no que diz respeito aos casos de violência policial letal, estaria relacionado ao caráter discricionário da atividade policial, o que dificultaria a aplicação rigorosa de parâmetros para delimitação do uso legítimo da força.

A discricionariedade é um recurso garantido pela ordem jurídica para permitir que alguns agentes públicos tenham liberdade de decisão e atuação. É como se o sistema jurídico criasse mecanismos mais flexíveis, ou fluidos, de implementação da lei em casos concretos. Em direito administrativo, fala-se em poder discricionário, o qual confere ao agente público "uma razoável liberdade de atuação" (ALEXANDRINO, PAULO, 2018), por isso, torna-se ainda mais difícil o controle e parametrização das ações policiais em contexto de abordagem, mas não é algo impossível de ser feito.

O Estado de São Paulo já editou Procedimentos Operacionais Padrão, embora tenham se tornado sigilosos. Os procedimentos operacionais-padrão eram de acesso público até o ano de 2013, quando a Portaria do Comandante-Geral da Polícia Militar, datada de 22 de maio de 2013, dispôs sobre a classificação dos Procedimentos Operacionais Padrão (POP) da Polícia Militar do estado de São Paulo, em virtude da Lei nº 12.527/2011 (Lei de acesso à informação), e determinou a classificação de sigilo secreto para os Procedimentos Operacionais Padrão (POP) da Polícia Militar do estado de São Paulo, estabelecendo prazo de quinze anos de restrição de acesso, contados da data de sua produção. Por consequência, o referido instrumento legal inviabiliza a produção de pesquisas a respeito de como a polícia militar de São Paulo orienta os policiais em abordagens a pedestres, motoristas, vistoria de veículo, busca e apreensão domiciliar, policiamento com motocicleta, entre outros. Informações fundamentais a qualquer cidadão, tendo em vista os parâmetros legais de um Estado democrático de direito.

Portanto, diante da inacessibilidade geral dos POPs, não se pode dizer que a sociedade civil tem meios de compreender e de fiscalizar a ação policial, no que diz respeito às abordagens. Logo, tem-se um cenário de não parametrização pública.

Egon Bittner (2003) nos lembra que não há um critério universal de identificação do excesso de força na ação policial, no entanto, há padrões internacionais que permitem aos avaliadores da performance policial observar os padrões que são geralmente utilizados por outros países para aferir o abuso da força letal. Seguindo essa perspectiva, há três critérios fundamentais para aferição desse padrão que foram convencionados pela literatura internacional (LOCHE, 2010; BUENO *et al.*, 2013). Primeiro, a relação entre número de civis mortos e policiais mortos, ou seja, se o número de civis mortos é desproporcionalmente maior do que o de policiais, a polícia estaria abusando de seu poder discricionário. Segundo, trata-se da razão entre civis feridos e civis mortos pela polícia, isto é, se há mais mortos que feridos de maneira desproporcional, há uma alta probabilidade de uso desordenado da força letal pela polícia. E, por fim, o terceiro critério leva em consideração a relação entre o número de civis mortos pela polícia e o total de homicídios dolosos registrados numa mesma área. De acordo com esses três critérios, o país tem altos índices de letalidade policial.

Internamente, o Brasil não criou métodos próprios de parametrização nacional e controle da *polícia que mata,* ou não os divulgou. Então, não há uma estrutura mínima que determine, por lei, quando a polícia efetivamente excede limites. Embora possamos ter uma ideia do dano gerado pela *polícia que mata,* os critérios convencionados internacionalmente não parecem suficientes. A pesquisa mostra que há outras questões relevantes que precisariam entrar no processo de parametrização do uso da força pela polícia, a exemplo de uma dimensão qualitativa, que valorize definições de violência, competência técnica e experiência do profissional; e da dimensão quantitativa, que passaria a priorizar, também, grupos populacionais específicos em função de marcadores sociais, como raça, gênero, geração, classe social, no cálculo para aferição de abuso – que serve também para identificação e compreensão da vitimização policial –, o que complexifica qualquer tentativa de parametrização e controle.*

A ausência de critérios claros, construídos em diálogo com a sociedade civil, reconhecidos institucionalmente e que incluam a dimensão técnico-profissional e marcadores sociais dificulta a produção de respostas eficazes à letalidade e à vitimização policial. Essa ausência de parametrização interna e a indiferença em relação aos critérios reconhecidos internacionalmente produz um efeito de não parametrização – é como se não fosse um recurso necessário à ordem democrática; mais que isso, como se pensar em estratégias como essa fosse contraproducente –, fato que incentiva a produção de mortes em escalas ainda maiores.

A inserção do caso estudado em seu contexto sociopolítico, racial e jurídico demonstra que, embora seja único, não se trata de um caso isolado. Há uma teia social que sustenta e ampara sua existência, bem como uma arquitetura institucional que justifica ou apoia, pelo menos em parte, o comportamento dos atores institucionais, em cada uma das etapas de responsabilização dos policiais envolvidos nas mortes. Assim, ao passar pela configuração de um Estado de direito que incrementa as desigualdades sociais e raciais – inclusive ao desprezar dados alarmantes sobre a letalidade policial –, ficou claro que a maneira segundo a qual o

---

* Recomendo às leitoras e aos leitores a *live* especial de 20 anos do Instituto de Defesa do Direito de Defesa (IDDD), realizada no dia 23 de julho de 2020, em que participei ao lado do advogado da favela do Jacarezinho e membro da Comissão de Direitos Humanos da OAB/RJ, Joel Luiz Costa, com mediação da diretora-executiva do IDDD, Marina Dias. A ocasião permitiu uma reflexão sobre a complexidade da parametrização do uso da força em abordagens policiais e seus efeitos sobre a população jovem negra, um debate fundamental para o aprimoramento das discussões sobre o tema. Disponível em: https://www.youtube.com/watch?v=nCvZuLCykKc&feature=emb_logo.

Poder Legislativo e o Poder Executivo, dadas as limitações institucionais de cada um, têm escolhido tratar desse tema, produziu um arranjo institucional desarticulado, com respostas fragmentadas e, muitas vezes, opacas e herméticas para a sociedade civil.

No próximo capítulo, voltarei aos insumos do caso para compreender analiticamente como o Direito operacionaliza, na prática, a responsabilização da *polícia que mata*.

Parte 3
A LÓGICA IMUNITÁRIA

O TRATAMENTO DE ABORDAGENS POLICIAIS que resultaram em morte constitui um desafio para o Direito brasileiro. As escolhas realizadas no campo Legislativo e as formas de implementá-las junto ao Executivo e ao Judiciário conduziram a uma maneira peculiar de tratar do problema. Os impactos repercutem não só na vida das pessoas diretamente envolvidas em ocorrências dessa natureza, mas também, política e economicamente, na dinâmica do Estado. O calcanhar de aquiles aparece quando olhamos simultaneamente para o aumento das mortes praticadas por policiais, para o aumento da vitimização policial, para a cor/raça das pessoas que morrem, para os constantes arquivamentos de inquéritos policiais, para as absolvições dos PMs. Há um fio condutor que une esses eventos, conforme veremos.

Até agora, o caso nos permitiu reforçar hipóteses já presentes na literatura, a exemplo da perpetuação de práticas autoritárias por agentes públicos na ordem democrática (NEME, 1999; VIEIRA, 2008; MACHADO et al., 2015; FERREIRA, 2019), da seletividade do sistema criminal em casos de mortes praticadas por PMs (MISSE et al., 2011; MACHADO, RIBEIRO, 2016) e da impunidade desses agentes (SU-

DBRACK, 2008) — em grande parte relacionada ao perfil de quem morre (FARIAS, 2007; CAPPI, 2015; FLAUZINA, FREITAS; 2017). Mas, em quais outros pontos de reflexão teórica esse caso nos permite avançar em relação ao tratamento jurídico de mortes praticadas por policiais militares?

Com base na análise da estrutura normativa que regula o julgamento dos policiais que matam em serviço, dos argumentos e dispositivos legais efetivamente mobilizados, é possível identificar uma série de estratégias utilizadas no âmbito do Direito para não responsabilizar a polícia, mesmo que para isso possa haver, paradoxalmente, uma "hipersancionalização" do policial. Trata-se de aprofundar a leitura desses mecanismos, que são mobilizados ora pela acusação, ora pela defesa, ora pela própria polícia militar, e concorrem para resguardar o nome e a imagem da referida instituição, de modo a resguardá-la e a mantê-la imune diante de qualquer possível rastro de responsabilização.

O conceito de "lógica imunitária" torna-se útil para essa leitura conceitual. Conforme será explicitado mais adiante, ele oferece uma preciosa chave de análise que ilustra como alguns desses mecanismos estão presentes na própria estrutura normativa e na arquitetura institucional, apresentada no capítulo anterior; e como outros emergem de interpretações estratégicas e de usos direcionados das normativas, por parte dos atores, que permitem uma distribuição desigual de responsabilização dos policiais militares envolvidos em abordagens que resultaram em morte, sempre resguardando a instituição.

A seguir, detalho o que entendo por "lógica imunitária", para analisar, logo após, os mecanismos de proteção da instituição presentes na lei e nas práticas processuais. Isso nos levará a identificar e relacionar os graus de responsabilização que denotam formas institucionais específicas de proteção da polícia militar e, consequentemente, em certa medida, dos policiais militares. Concluo traçando um quadro dos mecanismos de proteção possíveis a partir da própria cultura institucional.

8
A LÓGICA IMUNITÁRIA: DA POSSÍVEL RESPONSABILIZAÇÃO DO POLICIAL À BLINDAGEM DA POLÍCIA MILITAR

A lógica imunitária* pode ser definida como um conjunto de práticas regulatórias que buscam garantir uma determinada gestão de fluxos e a circulação de informações, por intermédio de um controle gerencial, tendo como resultado a proteção sistemática de uma organização. Nesse sentido, a lógica imunitária remete às cooperações, parcerias ou colaborações entre sistemas, que não são destinados *a priori* para tal fim (KAMINSKI, 2010). Dito de outra forma, a imunização institucional se dá por mecanismos, interações

---

* A ideia de olhar para os mecanismos de proteção produzidos pelo sistema de justiça ao longo dos processos de responsabilização de policiais militares que participaram de abordagens com morte de civis tem como ponto de apoio a noção de *logique immunitaire* (KAMINSKI, 2010). Trata-se de um conceito construído por Dan Kaminski (2010) no âmbito de uma pesquisa sobre gestão contemporânea da pena e seus mecanismos ideológicos, na Bélgica dos anos 1980 e 1990. E seu livro *Pénalité, Management, Innovation*, ao tratar da impotência quantitativa e qualitativa do sistema penal para gerenciar as demandas que chegam até ele, o autor apresenta a estratégia utilizada pelo sistema penal para se imunizar de críticas referentes a sua atuação em relação a demandas ligadas a patologias e compulsões, como é caso do uso de drogas e do abuso sexual. Essa estratégia reduziu os objetivos e o raio de ação da ação penal e mobilizou outros atores para atuar no atendimento daquelas demandas, tais como os serviços de saúde e o serviço social (KAMINSKI, 2010).

e práticas que, não previstos inicialmente para tal finalidade, geram uma proteção para a instituição, que acaba dessa forma sendo imunizada.

A noção de lógica imunitária, adaptada à nossa discussão, permite organizar os dados empíricos para formular a seguinte hipótese: existem estratégias e meios mobilizados por diferentes instâncias do sistema que acabam produzindo distintos graus de imunização dos atores, em especial da instituição polícia militar. Em outras palavras, existem diversos mecanismos, ainda que não previstos para tal fim, que contribuem para a proteção da instituição, sejam eles inscritos nas leis ou decorrentes das práticas institucionais.

As próximas três seções são destinadas à descrição das maneiras pelas quais a lógica imunitária opera nos processos de responsabilização de policiais envolvidos em abordagens que resultam em morte e, sempre a partir dos achados empíricos do caso estudado, proponho algumas formulações conceituais de seus desdobramentos. Nesse sentido, serão expostos os mecanismos jurídicos de proteção da polícia inscritos na legislação que deixam pouca, ou nenhuma, margem de interferência dos atores individuais envolvidos nos processos; em seguida, tratarei daqueles mecanismos que protegem a instituição em virtude da sinuosidade processual, isto é, dos artifícios que aparecem nas práticas processuais e procedimentais; por fim, organizo os atos que evocam uma cultura policial de proteção institucional, ou de autoimunização.

9
LEIS QUE PROTEGEM...
A INSTITUIÇÃO

Tendo em vista as regras do jogo apresentadas, formula-se a existência de quatro mecanismos que acabam contribuindo para o amparo da instituição polícia, no sentido da sua não responsabilização. Os mecanismos aparecem da seguinte maneira:

• ausência de protocolo público prescritivo da atuação da polícia militar;

• legítima defesa;

• julgamento de policiais militares na esfera criminal por um tribunal leigo;

• impossibilidade de organizações da sociedade civil demandarem reparação de danos coletivos;

• impossibilidade de responsabilização criminal da polícia militar.

Vejamos, em detalhes, no que consiste cada um desses mecanismos e como torna-se possível sustentar a hipótese de sua existência.

AUSÊNCIA DE PROTOCOLO PÚBLICO PRESCRITIVO DA ATUAÇÃO DA POLÍCIA MILITAR

Desde o ano de 2013, parte significativa do Manual de Procedimentos Policiais Militares deixou de ser pública. Conforme já discutido, uma portaria do Comandante-Geral da Polícia Militar de São Paulo, datada de 22 de maio de 2013, dispôs sobre a classificação dos Procedimentos Operacionais Padrão (POP), que passou a ser classificada como de "sigilo secreto", com restrição de acesso, de acordo com a classificação definida pela Lei de Acesso à Informação,[45] pelo prazo de quinze anos.*

A ausência de protocolo público prescritivo permite que os policiais militares atuem sem serem confrontados, com grande discricionariedade, como restou evidenciado no julgamento dos réus perante o tribunal do júri.** É inegável que as disputas no Congresso Nacional dificultam a elaboração e aprovação de medidas regulatórias públicas de atos executados por policiais. Além disso, a ausência de um protocolo público prescritivo de atuação da polícia militar de São Paulo tem impacto no julgamento de policiais. Em mais de um júri, foi possível observar a atuação de advogados que tinham em sua trajetória profissional experiência como policial militar. Perante o tribunal, eles desenhavam suas arguições referentes à atuação do policial militar, réu no processo criminal e seu cliente, de maneira mais técnica e precisa – e ostentando maior *expertise* no tema –, alegando poder decisório do PM em circunstância de abordagem. Nos dois júris que ocorreram nesse caso, a experiência anterior dos advogados permitiu a exploração de

---

* Apesar disso, alguns advogados que anteriormente integravam a corporação na condição de policiais militares ainda utilizam as informações dos POPs em suas arguições. Esse fato foi presenciado na sessão de júri etnografada no dia 28 de outubro de 2016, das 10h20 às 16h, no Plenário Tribunal do Júri, Fórum Min. Mário Guimarães, São Paulo – SP.

** Além do júri indicado na nota anterior, esse fenômeno também pôde ser observado na sessão de júri etnografada no dia 18 de maio de 2017, das 13h40 às 20h25, no Fórum Min. Mário Guimarães, São Paulo – SP.

pontos aparentemente desconhecidos pelo membro do Ministério Público que atuou naquela instância.

Não é possível estabelecer qualquer relação entre o resultado do julgamento do júri e a performance do advogado, já que não é possível saber as razões que levaram os jurados à sua decisão, mas é possível afirmar que a ausência de um protocolo público de atuação policial tem repercussão na qualidade da defesa e da acusação de policiais militares, já que os tribunais do júri acabam se pautando e se legitimando meramente no "jogo persuasivo" (SCHRITZMEYER, 2002, p. 43), na ausência de protocolos estabelecidos e conhecidos de todos. Tal "jogo persuasivo" se constrói mais facilmente para o convencimento de quem, *a priori,* não entende de Direito.

LEGÍTIMA DEFESA

Uma das mais recorrentes teses defensivas em processos oriundos de abordagens policiais que resultaram em morte, a legítima defesa também foi mobilizada neste caso. Aliás, mais do que isso, os primeiros movimentos institucionais de apuração dos fatos tenderam ao reconhecimento da legítima defesa mesmo sem subsídios materiais.

Reconhecida em relação à conduta dos policiais Emílio Messias e Ernesto Figueredo, a legítima defesa subsidiou o arquivamento da parte do inquérito que investigava a morte de João Santos. E foi levada a cabo até o julgamento no tribunal do júri do policial Arthur Tavares, ocasião em que foi absolvido.

Do ponto de vista legal, a legítima defesa é uma excludente de ilicitude, ou seja, é uma circunstância que, se verificada, permite que o sistema jurídico reconheça a inexistência de crime, ainda que tenha havido lesão a bem jurídico. Sua previsão está disposta no Código Penal, nos arts, 23 e 25:

> Art. 23 – Não há crime quando o agente pratica o fato: (...)
> II – em legítima defesa; (...)
> Parágrafo único – O agente, em qualquer das hipóteses deste artigo, responderá pelo excesso doloso ou culposo. (...)
> Art. 25 – Entende-se em legítima defesa quem, usando moderadamente dos meios necessários, repele injusta agressão, atual ou iminente, a direito seu ou de outrem. (BRASIL, 1940, n.p.).

Na narrativa do caso, a hipótese de legítima defesa foi frontalmente questionada pelo delegado de polícia, mas os relatórios de investigação, assim como os laudos periciais, o depoimento dos familiares das vítimas e o interrogatório de um dos policiais envolvidos diretamente nos fatos não foram suficientes para alterar um fluxo que está amparado não só na legislação, mas que conta com estímulos oriundos das rotinas, dos consensos e das anuências às práticas das diferentes profissões envolvidas na apuração e responsabilização dos policiais.

A sustentação da legítima defesa, não só por advogados dos réus, mas também pelo Ministério Público, seu consequente reconhecimento pelo judiciário, mesmo em um caso em que a controvérsia jurídica se baseou também em controvérsia fática, evidencia a força que esse conteúdo argumentativo tem em processos oriundos de abordagens policiais que resultaram em morte.

Ignorando a recorrência com a qual inquéritos policiais são arquivados ou policiais são absolvidos sob a alegação de legítima defesa em processos relativos a abordagens policiais com morte, o Congresso Nacional alterou o Código Penal, por meio da Lei nº 13.964/2019, para ampliar as hipóteses de legítima defesa em circunstância de abordagem policial, e incluiu o parágrafo único no art. 25:

> Parágrafo único. Observados os requisitos previstos no *caput* deste artigo, considera-se também em legítima defesa o agente de segurança pública que repele agressão ou risco de agressão a vítima mantida refém durante a prática de crimes.

Além dessa alteração, o Congresso Nacional, por meio da Lei nº 13.964/2019, inovou no sistema jurídico e alterou o procedimento investigativo do uso da força letal, de modo a criar um sistema de privilégio defensivo quando policiais se encontram na posição de investigados. Com a referida alteração, inseriu-se o art. 14-A no Código de Processo Penal, que determina que quando policiais figurarem como investigados em inquéritos policiais, inquéritos policiais militares e demais procedimentos extrajudiciais, cujo objeto seja a investigação de fatos relacionados ao uso da força letal praticados no exercício profissional – o que inclui as hipóteses de legítima defesa –, o indiciado poderá constituir defensor.* Ademais, a norma avança elencando uma série de atos que burocratizaram ainda mais os procedimentos dessa natureza e permitiram o surgimento de novos conflitos interinstitucionais (FERREIRA, 2020).**

---

* Art. 14-A. "Nos casos em que servidores vinculados às instituições dispostas no art. 144 da Constituição federal figurarem como investigados em inquéritos policiais, inquéritos policiais militares e demais procedimentos extrajudiciais, cujo objeto for a investigação de fatos relacionados ao uso da força letal praticados no exercício profissional, de forma consumada ou tentada, incluindo as situações dispostas no art. 23 do Decreto-Lei nº 2.848, de 7 de dezembro de 1940 (Código Penal), o indiciado poderá constituir defensor. § 1º Para os casos previstos no *caput* deste artigo, o investigado deverá ser citado da instauração do procedimento investigatório, podendo constituir defensor no prazo de até 48 (quarenta e oito) horas a contar do recebimento da citação. § 2º Esgotado o prazo disposto no § 1º deste artigo com ausência de nomeação de defensor pelo investigado, a autoridade responsável pela investigação deverá intimar a instituição a que estava vinculado o investigado à época da ocorrência dos fatos, para que essa, no prazo de 48 (quarenta e oito) horas, indique defensor para a representação do investigado. § 6º As disposições constantes deste artigo se aplicam aos servidores militares vinculados às instituições dispostas no art. 142 da Constituição federal, desde que os fatos investigados digam respeito a missões para a Garantia da Lei e da Ordem." (BRASIL, 2019, n.p.).

** Conforme se pode acompanhar até aqui, a compreensão do conteúdo dogmático da legítima defesa em abordagens policiais com resultado morte é imprescindível para o entendimento dos processos de responsabilização da *polícia que mata*. Explicitar o caráter conflitual dos conceitos dogmáticos que fazem a ligação entre as novidades legislativas e a tradição jurídica, com vistas à "solução de casos concretos por meio de organismos com natureza jurisdicional" (RODRIGUEZ, 2012, p. 21), não parece suficiente para essa questão específica, já que o papel do juiz nesse tipo de procedimento é bastante limitado – importante lembrar que é o Ministério Público quem tem a atribuição de requerer eventual pedido de arquivamento de inquérito; no mesmo sentido, são os jurados leigos que julgam efetivamente as controvérsias jurídicas do mérito dos processos de homicídios dolosos que alcançam os tribunais do júri.

JULGAMENTO DE POLICIAIS MILITARES NA ESFERA CRIMINAL POR UM TRIBUNAL LEIGO[46]

Na década de 1990, a população brasileira exigiu a alteração da competência do julgamento de policiais militares para o tribunal do júri, em casos de homicídios dolosos que eram julgados, até então, pela justiça militar. A mudança ocorreu em 1996 com a promulgação da Lei Bicudo, cuja justificativa pautava-se na necessidade da produção de julgamentos imparciais. A competência do tribunal do júri para o julgamento de homicídios dolosos praticados por policiais militares significou, naquele momento, uma vitória para a consolidação do Estado democrático de direito.

No entanto, mais de vinte anos depois, a observação de julgamentos de policiais militares, notadamente por homicídio doloso, permite identificar algumas dificuldades ligadas a essa escolha institucional. A inaptidão técnica do corpo de jurados torna-se o cerne do problema: a tese da legítima defesa é a principal estratégia dos réus e constitui tecnicamente um dos elementos capazes de excluir a existência de um crime. Ora, a aferição de sua existência, a partir da teoria geral do delito, é eminentemente técnica. Assim, no caso de homicídios dolosos praticados por policiais militares, com argumentos de defesa tipicamente pautados na ideia de confronto e legítima defesa, a avaliação final é deixada aos jurados do Conselho de Sentença, cujos conhecimentos são, na maioria das vezes, alheios a essa matéria.

Os jurados, por regra, não precisam ter qualquer formação no campo do Direito – "até atrapalharia se tivessem"[47] – e não precisam justificar suas escolhas. Por óbvio, uma graduação em Direito não constitui indicativo de que os julgamentos teriam desfechos diferentes, porém, uma formação técnica prévia – em direito constitucional, direitos humanos e direito penal, por exemplo – auxiliaria na tomada de decisão. O modelo atual funciona, assim, como uma válvula de escape. Se, por um lado, a chegada do réu policial militar até o júri indica que o processo já percorreu todas as etapas de um processo (e a mais importante), a sentença de pronúncia indica que um juiz togado afirmou a existência de prova da materialidade e dos indícios de autoria. Por outro lado, serão pessoas não qualificadas que, efetivamente, julgarão os réus. Isso torna possível que, num movimento só, os argumentos técnicos, além de não serem entendidos, possam ser sobrepujados por argumentos de outra natureza, como aqueles que produzem uma justificativa moral para a prática de um crime, e outros que permitem a legitimação da produção jurídica de estereótipos.

IMPOSSIBILIDADE DE ORGANIZAÇÕES DA SOCIEDADE CIVIL DEMANDAREM REPARAÇÃO DE DANOS COLETIVOS

A origem dos instrumentos de tutela coletiva de direitos está na experiência inglesa, no sistema da *common law* (ZAVASCKI, 2005). Desde o século XVII, os tribunais de equidade admitiam, no direito inglês,

> um modelo de demanda que rompia com o princípio segundo o qual todos os sujeitos interessados devem, necessariamente, participar do processo, com o que se passou a permitir, já então, que representantes de determinados grupos de indivíduos atuassem, em nome próprio, demandando interesses dos representados, ou também, sendo demandados por conta dos mesmos interesses (ZAVASCKI, 2005, p. 16).

No Direito brasileiro, também existem instrumentos de tutela coletiva de direitos, a exemplo da Lei nº 7.347, de 1985, que disciplina a ação civil pública de responsabilidade por danos causados a bens de interesse coletivo, *lato sensu,* como o direito ao meio ambiente, ao consumidor, a bens e direitos de valor artístico, histórico e turístico. (BRASIL, 1985). O referido diploma legal inaugurou no Brasil um autêntico sistema de proteção de direitos transindividuais (ZAVASCKI, 2005), que foi amparado, a seguir, pela própria Constituição federal, pelo código de defesa do consumidor e pelo código de processo civil.

O rol de legitimados para promover uma ação civil pública inclui o Ministério Público, a defensoria pública e associações civis, desde que estejam constituídas há, pelo menos, um ano nos termos da lei civil e incluam, entre suas finalidades institucionais,

> a proteção ao patrimônio público e social, ao meio ambiente, ao consumidor; à ordem econômica, à livre concorrência, aos direitos de grupos raciais, étnicos ou religiosos ou ao patrimônio artístico, estético, histórico, turístico e paisagístico (BRASIL, 1985).

Segundo Vicente Paulo e Marcelo Alexandrino (2015), esse rol de legitimados é meramente exemplificativo.

A observação do caso sob análise mostrou que a inexistência de demanda na esfera civil por parte de organizações da sociedade civil – organizações não governamentais, associações, fundações –, em virtude de dano à sociedade pensada coletivamente em razão de mortes provocadas por agentes do Estado, pode ter relação com a maneira segundo a qual direitos coletivos estão dispostos na legislação.

A hipótese que se desenha é a de que o direito brasileiro não tutela a eficiência e a efetividade da atuação policial como um direito coletivo, isto é, ainda não há na legislação uma proteção explícita à eficiência da atuação policial como um valor passível de proteção por meio dos instrumentos legais já existentes. Em maio de 2019, o Ministério Público de São Paulo, por meio da Promotoria de Justiça de Direitos Humanos da capital, realizou um movimento interessante. De maneira inédita, requereu em juízo, por meio de ação civil pública, a condenação do Estado de São Paulo para que o mesmo fosse obrigado

> a coibir ao máximo fatos relacionados à letalidade policial no Estado de São Paulo, incluindo policiais que morrem em serviço ou fora dele e pessoas não policiais que morrem em decorrência de intervenção policial.*

IMPOSSIBILIDADE DE RESPONSABILIZAÇÃO CRIMINAL DA POLÍCIA MILITAR

Como se sabe, no âmbito criminal, a responsabilidade é pessoal e intransferível, reflexo da implementação do princípio da intranscendência ou da pessoalidade, insculpido no art. 5º, XLV[48] da Constituição federal, que determina que somente a pessoa, a quem é imputado um fato, responderá por ele e cumprirá eventual sanção. (BRASIL, 1988). Assim, respondendo a essa lógica, o processo penal só opera a partir de condutas individualmente imputadas. Por isso, a instituição policial não pode constar, e não constava, no rol dos réus da ação penal.

Vale notar que a responsabilização individual na esfera criminal representa um importante avanço na história do direito penal. Nesse contexto, responsabilizar individualmente os policiais militares réus significa acreditar que "os destinatários das normas são individualmente competentes

---

* A petição ministerial, com 203 páginas e 37 pedidos, foi recebida pela 4ª Vara de Fazenda Pública, mas até novembro de 2020 ainda não havia sido julgada. A continuidade do fluxo processual esteve sujeita ao esclarecimento do MP sobre se o Estado tinha respeitado a previsão orçamentária destinada à segurança pública e em que medida poderia aumentar os recursos destinados para a implantação dos pedidos feitos, além dos pedidos de vários movimentos sociais e organizações não governamentais para participarem do processo na qualidade de *Amicus curiae*. Mais informações podem ser encontradas em http://www.mpsp.mp.br/portal/page/portal/noticias/noticia?id_noticia=20570014&id_grupo=118.

para observar o Direito" (GÜNTHER, 2016, p. 19). Essa forma de responsabilizar a *polícia que mata* é considerada propícia e explicita, de certa forma, uma "capacidade autônoma de compreensão e de autocontrole das pessoas" (GÜNTHER, 2016, p. 24), reconhecida e valorizada pela esfera pública. Mas essa forma de responsabilizar significa também que a sociedade brasileira ainda não iniciou seu "processo político de entendimento acerca de sua própria identidade coletiva" (GÜNTHER, 2016, p. 24). Dito de outro modo, a responsabilização individual da *polícia que mata* consagra um padrão civilizatório que não percebe a letalidade policial como um fenômeno que atinge a vida e a segurança pública, como bens jurídicos que têm também dimensões coletivas. Dessa forma, a atuação policial ainda não é percebida como atuação do Estado, que pode ser enxergada em seus reflexos coletivos, ainda que difusamente. Tampouco pode produzir noções de responsabilidade coletiva que gerem responsabilização dos governadores dos estados e seus secretários de segurança pública, do Comandante-Geral da Polícia, do Ministério Público no exercício constitucional de controle externo da polícia.

10
AS PRÁTICAS IDENTIFICADAS NOS MEANDROS DO PROCESSO

Outros aspectos que materializam a *lógica imunitária* podem ser identificados nos mecanismos próprios às práticas processuais. O processo pode ser observado como uma resposta, em si, do sistema de justiça, que responde mesmo quando não pune os policiais militares.

Dessa forma, as inúmeras respostas de caráter não punitivo devem ser também consideradas respostas atreladas ao processo e não podem ser desprezadas, como o uso da nomenclatura "vítima" – para, ainda que momentaneamente, fazer referência aos policiais que participaram da ocorrência –, além do arquivamento do processo administrativo sem que os policiais sejam sancionados pela corporação e do arquivamento do inquérito policial civil de uma das vítimas.

Neste sentido, a *lógica imunitária* aparece também como um conjunto de práticas, relativamente independentes entre si, que, quando observadas em conjunto, viabilizam a demora, a redução e, até mesmo, a inexistência da responsabilização de policiais militares, e da própria polícia militar, enquanto organização. Assim, uma rede protetiva se ergue com a participação de atores de diferentes instituições, por meio dos seguintes mecanismos:

- filtragem e seleção da gravidade do caso;
- arquivamento do inquérito policial civil;
- poder conferido ao MP pelo art. 28 do Código de Processo Penal;
- absolvição dos PMs;
- contribuições do Tribunal de Justiça e o reforço à preeminência da versão dos policiais;
- graus de implicação no processo.

Na próxima seção, esses mecanismos serão descritos e explicitados conceitualmente.

A FILTRAGEM E SELEÇÃO DA GRAVIDADE DO CASO

Os primeiros movimentos institucionais de apuração do caso denotaram uma filtragem e uma seleção a respeito da sua gravidade diante dos padrões de funcionamento das instituições envolvidas no processo de apuração e julgamento – construídos por meio de práticas cotidianas e reiteradas na polícia civil e no Ministério Público, especialmente. Nesse sentido, as atividades desenvolvidas pelos profissionais que movimentaram o processo – ver, ouvir e escrever – são executadas de modo a permitir uma verdadeira triagem do caso. O prosseguimento do fluxo processual é autorizado pelas instituições, que o alocam em nova etapa, com novas percepções, signos e lógicas incorporados.

Desse modo, a continuidade do caso dependeu da incorporação da ideia – ainda muito difusa na cultura geral e policial – de que a existência de um crime anterior autoriza uma intervenção policial letal para com seu autor, *in loco* e *ipso factu*. Seguindo essa lógica, os policiais militares foram observados como vítimas e a descrição do local dos fatos imprimiu uma percepção de objetividade e imparcialidade da atividade de apuração.

ARQUIVAMENTO DO INQUÉRITO POLICIAL (IP) CIVIL E O PODER CONFERIDO AO MINISTÉRIO PÚBLICO PELO ART. 28 DO CÓDIGO DE PROCESSO PENAL

No curso do processo criminal do caso sob análise, estava em vigor a redação do art. 28 do CPP, que determinava:

> Se o órgão do Ministério Público, ao invés de apresentar a denúncia, requerer o arquivamento do inquérito policial ou de quaisquer peças de informação, o juiz, no caso de considerar improcedentes as razões invocadas, fará remessa do inquérito ou peças de informação ao procurador-geral, e este oferecerá a denúncia, designará outro órgão do Ministério Público para oferecê-la, ou insistirá no pedido de arquivamento, ao qual só então estará o juiz obrigado a atender. (BRASIL, 1941, n.p.).

Essa formulação assegurava, de certa forma, uma precisa divisão de tarefas no arquivamento de inquéritos policiais civis. No nosso caso, essa divisão garantia que a responsabilidade dos arquivamentos fosse "compartilhada" por diferentes atores: o delegado de polícia civil, o membro do Ministério Público e o juiz da vara do júri – já que coube ao MP requerer o arquivamento a partir das provas colhidas no IP, e ao juízo, o deferimento do referido pedido.

A responsabilidade era "compartilhada", porque cada um contribuía para o arquivamento, ou não, dos autos do IP, como aconteceu no caso da morte de João. Nesse sentido, apesar de o delegado de polícia civil ter descrito no relatório final do IP/DHPP uma circunstância de legítima defesa, mas indicando que teria havido excesso por parte dos referidos policiais, o Ministério Público entendeu que isso não teria ocorrido e requereu o arquivamento tendo em vista que os policiais militares teriam agido "em medida compatível à iminência da agressão a ser perpetrada pelo meliante",[49] o que foi deferido pelo juízo. Entendeu o juiz responsável pelo caso que não havia um mínimo probatório suficiente para dar continuidade ao processo:

> uma vez que, aquelas primeiras notícias de que as condutas desses investigados seriam iguais a dos outros réus, da mesma equipe, não ficou confirmada com elementos idôneos. A I. Delegado afirmou que populares diziam ter filmagens da abordagem da polícia e da execução da vítima por eles, mas a verdade é que essa prova não aportou nos autos [...]. Assim, promovo o arquivamento da investigação com relação a eles, com as ressalvas do artigo 18 do CPP.*[50]

Portanto, houve inquérito arquivado pelo juízo, com razões diversas das do Ministério Público.

A força e independência do requerimento do Ministério Público já era indicada pelo fato de o órgão ter pautado seu ato em elementos diversos daqueles indicados nos laudos dos exames realizados e no relatório final do inquérito policial/DHPP, o qual indicava excesso por parte dos dois policiais específicos. Do ponto de vista legal, essa independência era controlada pelo juízo, conforme a antiga redação do art. 28 do CPP, já citado.

Embora seu uso permitisse arquivamentos generalizados de ocorrências dessa natureza, conforme ecoa na litera-

---

* O art. 18 do CPP citado pelo juiz faz referência à possibilidade de reabertura do IP, caso surjam novas provas. "Art. 18. Depois de ordenado o arquivamento do inquérito pela autoridade judiciária, por falta de base para a denúncia, a autoridade policial poderá proceder a novas pesquisas, se de outras provas tiver notícia." (BRASIL, 1941, n.p.).

tura⁵¹ e na reivindicação de movimentos sociais e organizações não governamentais.*

Recentemente, a lei nº 13.964, de 24 de dezembro de 2019, alterou o Código de Processo Penal e, pela nova redação, o art. 28⁵² do CPP passou a determinar que o Ministério Público pode, sozinho, sem interferência direta do juízo no procedimento, ordenar o arquivamento do inquérito policial. O controle do referido ato seria realizado por instância revisora do próprio MP, independentemente de manifestação do juízo. Se, porventura, a vítima ou seu representante legal não concordasse com o arquivamento, teriam trinta dias para reivindicar a revisão à instância competente, no próprio MP. No entanto, essa nova redação encontra-se com a eficácia suspensa em função do julgamento da medida cautelar na Ação Direta de Inconstitucionalidade nº 6.305, que determinou a suspensão da alteração do procedimento de arquivamento do inquérito policial (28, *caput*, Código de Processo Penal), em janeiro de 2020. O Ministério Público continua tendo um papel decisivo: sua autonomia lhe permite interromper o fluxo de responsabilização na esfera criminal. Com uma canetada só, torna-se prejudicado o processo de responsabilização dos policiais militares envolvidos no fato.

---

* A sociedade civil tem se articulado de diferentes formas para enfrentar os sistemáticos arquivamentos de inquéritos policiais dessa natureza. Na arena jurídica, um exemplo emblemático foi a provocação da Procuradoria-Geral da República para instauração de procedimento pleiteando Incidente de Deslocamento de Competência no julgamento do caso da "Chacina do Cabula", pela ONG Justiça Global e pela Campanha Reaja ou Será Morto, Reaja ou Será Morta, que subsidiaram o pleito de transferência da investigação, o processamento e o julgamento da abordagem policial que vitimou 18 pessoas, em fevereiro de 2015, no bairro do Cabula, em Salvador, para a esfera federal, diante do "elevado risco de se ter mais uma denúncia contra policiais militares arquivada, sob o pretexto de legítima defesa"(MPF, 2016, p. 53). No mesmo sentido, estão os esforços empreendidos pelo movimento Mães de Maio para a elucidação dos "Crimes de Maio" de 2006, quando mais de 490 pessoas foram vítimas de ações policiais e de grupos paramilitares na região da Baixada Santista-SP. Além de dar visibilidade nacional ao caso, ao denunciar o episódio e muitos dos arquivamentos de inquéritos, o movimento pressionou as diferentes esferas de responsabilização estatal, não só pela condenação dos policiais, mas também pelas indenizações por danos morais sofridos pelas familiares (CARAMANTE, 2016).

Em síntese, o processo de responsabilização dos policiais que matam pode morrer em qualquer um dos seus estágios, como de fato acontece. Pode-se dizer que a "sobrevida" do processo constitui a exceção (FERREIRA, 2019), o que reforça a *lógica imunitária* com duas barreiras dificilmente transponíveis: de um lado, a polícia concentra um poder exorbitante numa etapa-chave para a sobrevida do processo. De outro, o Ministério Público pode pôr fim ao processo em um único ato.

ABSOLVIÇÃO DOS PMs
A sentença que absolveu os réus da acusação de homicídio doloso também permite observar elementos que contribuem para a *lógica imunitária*. A análise do caso ajuda a entender os significados que podem ser atribuídos a um desfecho como o do caso, a depender de quem observa.

A sentença que declarou a absolvição dos policiais militares comunica algo, interna e externamente, em termos de confiança, de credibilidade e de funcionamento do sistema de justiça. A existência de um provimento final informa a respeito do cumprimento formal de regras pelas agências do sistema de justiça, do encerramento de um ciclo, da existência de uma decisão internamente válida e legítima, dentro dos parâmetros processuais. Nesse sentido, o desfecho dos processos dos referidos PM expressam sentidos diferentes, a depender do ator.

Assim, para os policiais militares réus do caso, o processo e seu desfecho podem significar a concretização da justiça e o alívio após o encerramento de uma fase de exposição de seus nomes e imagens nos veículos de comunicação, além de cessarem os gastos com honorários advocatícios.

Já para a corporação, o referido processo comunicou para os demais policiais militares que não necessariamente haverá punição para os profissionais que, em circunstâncias análogas de abordagem, atiram e atingem pessoas, levando-as a óbito. Há, portanto, uma resposta coletiva e outra individual. Ao contrário de um sistema penal severo – como ele se apresenta para seus clientes comuns –, o sistema de justiça se mostra complacente e tolerante com os policiais, "homens da ordem" ou "heróis do dia a dia", para fazer uso de expressões utilizadas pelos advogados de defesa. Assim, ainda que o policial confesse que "perdeu a cabeça" ou que atirou "porque ficou com raiva", mesmo assim poderá ser absolvido de uma acusação de homicídio doloso.[53]

Para o Estado, o desfecho se converte em menos um processo e menos um preso e, portanto, menos recursos a serem gastos. Representa, também, a economia do reconhecimento público do erro de seus subordinados, de seu braço armado, dos profissionais destinados a garantir o Estado de direito e a proteção de pessoas e bens. Significa, ainda, escolher um lado no campo das disputas políticas, afinal, a absolvição também se traduz na legitimação e no reforço à ilegalidade e à injustiça que envolvem essas ocorrências.

Para a sociedade civil, a não responsabilização se converte em descrença num sistema de justiça. Isso coloca em risco o próprio sentido do Estado democrático de direito, tendo em vista a explicitação de um sistema que tem dois pesos e duas medidas, conforme sugerido por Oscar Vieira (2007). O processo pode ainda comunicar uma espécie de carta-branca, vista desta vez com apreensão, para a reprodução e repetição de condutas similares.

Para os familiares das vítimas, o processo pode expressar a convicção de impunidade e a certeza de que não houve qualquer medida estatal em resposta à sua perda, ao seu luto, diante de sua dor e leitura dos fatos.

Por fim, vale lembrar que, ao mesmo tempo em que absolveu o réu Humberto da acusação de homicídio doloso, a sentença declarou a condenação dele por fraude processual – conduta consubstanciada no ato de simular uma reação legítima em situação de suposto confronto, quando alterou o local de crime, incluindo uma arma de fogo e disparando-a a esmo –, fato observado em outros júris da mesma espécie.

MANIFESTAMENTE CONTRÁRIO À PROVA DOS AUTOS? AS CONTRIBUIÇÕES DO TRIBUNAL DE JUSTIÇA E O REFORÇO À PREEMINÊNCIA DA VERSÃO DOS POLICIAIS

Esta seção apresenta brevemente o papel do Tribunal de Justiça de São Paulo na consolidação do desfecho do caso, que serviu para reforçar os sentidos atribuídos à absolvição em primeiro grau. A insatisfação do Ministério Público com ambas as absolvições e a de um dos réus com a condenação por fraude processual geraram recursos de apelação, impetrados contra a sentença.

O Ministério Público requereu a nulidade do julgamento, sob o fundamento de que as "decisões foram manifestamente contrárias à prova dos autos" e, em sentido diametralmente oposto, Humberto requereu a absolvição, pela prática de crime de fraude processual, com o argumento de "insuficiência de provas".

Na ocasião do julgamento dos recursos, os policiais militares julgados perante o tribunal do júri saíram novamente vencedores, dada a manutenção da decisão dos jurados pelos três desembargadores da 9ª Câmara de Direito Criminal do Tribunal de Justiça de São Paulo, que negaram provimento aos recursos.

Assim, diante do conjunto probatório anteriormente ofertado aos jurados – laudos de exames realizados, depoimentos de testemunhas de acusação e de defesa –, os desembargadores repassaram brevemente o depoimento de cinco policiais registrados nos autos (em mídia e por escrito). Entre estes, o depoimento do tenente que ouviu em primeira mão a confissão de Humberto na corregedoria da PM, do qual destaca-se este trecho:

> Relatou que [Humberto] o procurou, espontaneamente, para informar tratar-se de um caso de execução e não de confronto. Ele e o policial [Arthur] teriam efetuado os disparos, em um momento de raiva e stress. Em seguida, [Arthur] teria lhe passado um revólver, tendo sido efetuado disparos na parede, para simular um confronto (TRIBUNAL DE JUSTIÇA DO ESTADO DE SÃO PAULO, 2018).

Mesmo diante do referido material probatório e tendo de ter explicitado a leitura do referido trecho – muito eloquente mesmo para quem não compreende minimamente a gramática do tribunal do júri –, o desembargador relator conclui:

> [...] De rigor concluir, então, que o Conselho de Sentença optou pelo entendimento absolutório (homicídio) e condenatório de [Humberto] (fraude processual) com base na narrativa dos policiais, não se mostrando esta decisão de todo dissociada do complexo conjunto de informações colacionado aos autos, e esta convicção, firmada com fundamento no acervo probatório, não configura decisão manifestamente contrária à prova dos autos (TRIBUNAL DE JUSTIÇA DO ESTADO DE SÃO PAULO, 2018).

Como se vê, conforme se pode notar na leitura e análise do acórdão em que o relator expressou a conclusão dos fundamentos de fato e de direito da decisão, a narrativa dos policiais é novamente considerada um fator que tem um peso determinante, que ganha ainda mais força em grau de recurso quando se sustenta na defesa e na proteção do "princípio constitucional da soberania dos veredictos", primeiro a ser mencionado nas razões de decidir do acórdão.

Outro fator que contribui para a confirmação da decisão do júri em grau de recurso é a volatilidade da interpretação do que vem a ser "prova" para análise dos desembargadores. O acórdão reduziu o conjunto probatório ao depoimento dos PMs, resultado que reforça a hipótese de que a redação do dispositivo legal que autoriza a revisão da "decisão dos jurados manifestamente contrária à prova dos autos"[54] é inadequada, pois permite interpretações arbitrárias, conforme aponta Maira Machado *et al.* (2020).

GRAUS DE IMPLICAÇÃO NO PROCESSO E RESPONSABILIZAÇÃO DESIGUAL

Há um outro mecanismo da *lógica imunitária* observado nas práticas: a maneira segundo a qual os sujeitos responsabilizáveis foram implicados nas fases do fluxo de responsabilização processual. A rede de proteção que conforma a *lógica imunitária* atuou de maneira a permitir que a responsabilização de cada ator envolvido ocorresse de maneira diferente, conforme será explicitado neste item.

As diferentes maneiras pelas quais os sujeitos responsabilizáveis foram implicados no processo explicitam formas institucionais de proteção da polícia militar e, consequentemente, em alguma medida, dos policiais militares. A proteção desses profissionais depende da intensidade com a qual foram expostos na mídia, do filtro construído no cotidiano das demais instituições que apuram e responsabilizam policiais, além das disposições e interpretações das regras do jogo que instituíram a arquitetura institucional.

Nesse sentido, a *lógica imunitária* emerge diante de uma série de mecanismos de diferenciação de envolvimento no processo e da consequente responsabilização, que integram o desenho institucional. Os pontos específicos de responsabilização serão descritos a seguir, a partir de graus numerados de zero a quatro, os quais representam diferentes patamares de responsabilização assumidos pelo sistema de justiça, observando-se cada um dos sujeitos responsabilizáveis.

GRAU ZERO – POLÍCIA MILITAR

Neste grau de responsabilização, encontra-se a polícia militar do estado de São Paulo, que não foi responsabilizada como instituição. Conforme ficou explicitado, não houve investigação ou apuração de responsabilidade do comandante-geral da polícia militar, ou mesmo do governador, e da consequente pronúncia e julgamento.

A polícia militar é uma instituição destinada a promover a segurança pública, por meio de atividades preventivas e repressivas, para as quais deve fornecer formação e treinamento de seus quadros. Ora, não existem mecanismos de responsabilização em relação a possíveis falhas nesses procedimentos, das quais depende a qualidade da atuação policial nas ruas. Não houve também registros de que a abordagem sob análise tenha gerado qualquer movimento institucional de reavaliação da formação e do treinamento dos policiais militares para novas abordagens policiais em contextos similares.

Tampouco existem mecanismos reparatórios dos danos causados nas ocorrências letais, – mesmo em termos de assistência psicológica ou social – aos próprios policiais militares ou aos familiares das vítimas.

A ausência de responsabilização da PM em ações letais já havia sido identificada nos estudos de Maíra Machado (2013) e de Marta Machado (2015), por ocasião de uma pesquisa que buscou compreender os mecanismos formais de responsabilização jurídica no contexto do Massacre do Carandiru. As juristas identificaram o fenômeno que nomearam de

"Nuremberg às avessas", caracterizado não só pela isenção da PM diante da morte de 111 detentos que estavam sob sua custódia, mas também pela promoção hierárquica de policiais militares de alta patente que haviam participado da ação.

Sinalizar a ausência de responsabilização não significa ignorar os movimentos de responsabilização individual dos policiais militares operados pela polícia militar, consistentes no reconhecimento de que Humberto e Arthur violaram normas e foram processados administrativamente pela instituição. Ao contrário, a ausência de responsabilização da polícia militar reforça a noção de "responsabilidade solitária"* dos policiais militares, que são processados e julgados individualmente, enquanto a instituição não se vê constrangida em nenhum momento – por mecanismos internos ou externos – a rever suas práticas.

GRAU UM – POLICIAIS MILITARES QUE ATIRARAM, MAS OS DISPAROS NÃO ATINGIRAM PESSOAS

Vejamos a maneira segundo a qual policiais militares que atiraram, sem que os disparos atingissem pessoas, foram percebidos pelo sistema de justiça. O referido grupo aparece citado no processo criminal de forma incidental, apenas como declarante, ainda na fase de elaboração do BO/DHPP,

---

* Vale explicar que a *logique immunitaire* de Dan Kaminski (2010) traz a ideia correlata de "solidão responsável", quer dizer, para além de proteger as instituições "pródigas", a *lógica imunitária* deixaria sistematicamente o "justiciável-deliquente" numa posição de "solidão responsável" ou de "responsabilidade solitária", já que o mesmo, na prática, não se demonstra capaz ou não tem mais condições de se dirigir a outras instituições, diante das múltiplas intervenções do sistema. Em outras palavras, o sistema acaba impondo a ele uma série de condições que somente em tese ele pode cumprir; de fato, ele terá dificuldade para arcar com elas. Dessa forma, em caso de falhas sucessivas no atendimento, a responsabilidade recai no indivíduo, justificando o endurecimento da intervenção penal, protegida de qualquer crítica possível (KAMINSKI, 2010). É como se o sistema pudesse afirmar: "fizemos de tudo para atender sua demanda, mas o senhor não colaborou", logo se torna justificável uma intervenção mais aflitiva. Observamos que o policial militar que havia realizado a confissão no âmbito da corregedoria passou a ser visto e tratado, do ponto de vista individual e institucional, como inimigo do grupo, que deveria ser neutralizado e desatrelado da instituição, desde o momento em que a confissão foi a público e passou a circular nos veículos de comunicação de massa.

e jamais voltou a participar de qualquer ato processual de responsabilização de seus atos ou dos demais integrantes da PM que haviam se deslocado até o local da ocorrência. Não se tem notícia de mecanismos de registro ou responsabilização, de qualquer natureza, dos policiais, pelos disparos que efetuaram no espaço público.

GRAU DOIS – POLICIAIS MILITARES QUE ATIRARAM E OS DISPAROS ATINGIRAM UMA VÍTIMA, LEVANDO-A A ÓBITO, MAS NÃO HOUVE DENÚNCIA

Para esse grupo de policiais é possível observar os atos processuais que permitiram seu baixo envolvimento nos processos de responsabilização. Os policiais militares atiraram e mataram, mas não foram denunciados por parte do Ministério Público, apesar de o relatório final do DHPP indicar a existência de "excesso por parte dos policiais [Ernesto e Emílio]".[55] Aqui, desde o momento em que foi reconhecida a legalidade da atuação desses policiais militares, por meio da sentença que arquivou o inquérito referente à morte de João, os procedimentos de responsabilização foram imediatamente interrompidos. A legalidade dessa ocorrência letal foi construída de forma sutil e gradativa, o que resultou também num maior número de ferramentas jurídicas de proteção postas à disposição dos policiais, especificamente.

Nesse sentido, a construção da legalidade que resguardou esses dois policiais não está necessariamente pautada na discricionariedade da atuação policial no ato dos fatos ou mesmo numa avaliação das circunstâncias fáticas do momento daquela abordagem, mas num reconhecimento de legalidade "endoprocessual", isto é, na não identificação pelos próprios atores que atuavam nos processos de apuração de elementos em desconformidade com o conjunto de normas da prática, do cotidiano daqueles que têm por atribuição a apuração e responsabilização de policiais naquele tipo de ocorrência. Existe a possibilidade de proferir a "legalidade" pela própria definição policial dada aos fatos.

Do ponto de vista prático, a referida legalidade construiu-se ao longo do próprio processo de apuração, podendo ser observada na seguinte sequência:

(i) o relatório final do IP XX/2015 do DHPP descreve uma circunstância de legítima defesa, sem nomeá-la: "[...] Ao avistarem os milicianos, o motorista da motocicleta evadiu-se e o outro, que estava a pé, passou a disparar contra os policiais que, então, revidaram, alvejando-o. Socorrido ao hospital, João Santos faleceu em decorrência dos ferimentos[...],[56]" apesar deste mesmo relatório;

(ii) indicar que houve excesso por parte dos referidos policiais: "[...] Com relação a [João], ele foi alvejado sete vezes, em regiões vitais de seu corpo, denotando, s.m.j. excesso por parte dos policiais militares Prado e Almeida";[57]

(iii) o posicionamento do Ministério Público que entendeu que "não há que se falar em excesso punível, pois agiu em medida compatível à iminência da agressão a ser perpetrada pelo meliante que estava armado e apontava a arma para os milicianos e contra eles disparava, com o evidente objetivo de resistir à prisão em flagrante";[58]

(iv) a decisão do juiz que entendeu que não havia outra solução que não o arquivamento do inquérito, mas, por razões diferentes das do membro do Ministério Público, defere o arquivamento do IP/DHPP: "uma vez que, aquelas primeiras notícias de que as condutas desses investigados seriam iguais a dos outros réus, da mesma equipe, não ficou confirmada com elementos idôneos. [...] populares diziam ter filmagens da abordagem da polícia e da execução da vítima por eles, mas a verdade é que essa prova não aportou nos autos [...] Assim, promovo o arquivamento da investigação com relação a eles, com as ressalvas do artigo 18* do CPP."[59]

Do ponto de vista de uma análise estrutural, qualitativa, a hipótese que se fortalece é a seguinte: o cumprimento de uma atribuição legal no processo de apuração da *polícia que mata* pode ser legal, porque obedece aos limites determinados na legislação, ao mesmo tempo em que é descoordenada, já que a autonomia dos órgãos pode se traduzir em incongruência entre eles, apesar de haver interações formais e formalmente legais. E, além disso, fica claro que as interpretações dos atores retêm certos fatos e ignoram completamente outros.

A legalidade da ação policial construída em função de movimentos autônomos de outras instituições viabiliza, também, a mobilização por esses policiais de um conjunto maior de instrumentos jurídicos de proteção, sob a guarita da instituição polícia militar.

GRAU TRÊS – POLICIAIS MILITARES QUE ATIRARAM E OS DISPAROS ATINGIRAM UMA VÍTIMA, LEVANDO-A A ÓBITO; FORAM DENUNCIADOS, PRONUNCIADOS E JULGADOS PERANTE O JÚRI, SENDO, AO FINAL, ABSOLVIDOS

Esse grupo, cuja exposição nos veículos de comunicação gerou reações institucionais muito mais intensas, teve um processo de responsabilização mais robusto. Porém, apesar de percorrer todas as fases de julgamento, sancionatória e de execução da pena, esse grupo ainda teve acesso a uma série de mecanismos jurídicos de proteção, que funcionaram muito mais como instrumentos de "redução de danos"[60] à imagem e aos interesses da instituição do que de responsabilização dos réus.

---

* O art. 18 do CPP citado pelo juiz faz referência à possibilidade de reabertura do IP, caso surjam novas provas. "Art. 18. Depois de ordenado o arquivamento do inquérito pela autoridade judiciária, por falta de base para a denúncia, a autoridade policial poderá proceder a novas pesquisas, se de outras provas tiver notícia." (BRASIL, 1941, n.p.).

Nesse contexto, pode-se citar a possibilidade de exoneração a pedido, no curso do procedimento disciplinar instaurado – mecanismo que, na esfera de responsabilização administrativa de servidores públicos civis federais já é inviável, tendo em vista a legislação vigente. Conforme art. 172, da Lei nº 8.112/1990:

> O servidor que responder a processo disciplinar só poderá ser exonerado a pedido, ou aposentado voluntariamente, após a conclusão do processo e o cumprimento da penalidade, acaso aplicada.

Dispositivo similar não foi encontrado na legislação estadual referente à polícia militar do estado de São Paulo.[61]

A exoneração a pedido, quando concedida, impede a conclusão do processo de imputação da infração disciplinar e a eficácia da sanção proveniente do "processo regular". Do ponto de vista prático, o policial sai ileso, podendo sustentar a narrativa que "saiu por vontade própria", enquanto a instituição policial pode sustentar que "fez o que pôde, mas não deu".

No mais, cabe ainda frisar que os policiais militares que se encontram nesse nível de implicação foram gradativamente desassociados simbolicamente da instituição, o que tornou a abordagem policial que resultou em morte um problema de cunho exclusivamente individual, que dizia respeito unicamente ao policial que atirou e efetivamente matou e à vítima. Em outras palavras, quando a morte é "culpável", ela é produzida pelo indivíduo, nitidamente dissociado da instituição. Esse grau de implicação no processo reforça a hipótese de "responsabilidade solitária".

Esse ponto pode ser mais bem visualizado em alguns argumentos mobilizados pelo delegado, pelo Ministério Público e pelo próprio réu, em momentos bem definidos:

(i) no relatório final do IP do DHPP elaborado pelo delegado: "Ressalte-se que a vítima Eduardo foi alvejada cinco vezes e as trajetórias dos projéteis foram todas de cima para baixo (estava ele deitado ou ajoelhado?)" – questionou a autoridade. Em seguida, de maneira mais direta, ao requerer a prisão preventiva de Humberto e de Arthur, o delegado sustentou: "[...] Referidas pessoas envergonham a farda que usam e são um perigo para a sociedade, pois se colocam acima do bem e do mal, acima da Justiça. Atentam, assim, contra o verdadeiro Estado democrático de direito que nos foi devolvido com tanta dificuldade e às custas de tantas vidas inocentes";

(ii) no parecer do Ministério Público que requereu a prorrogação da prisão temporária dos investigados, ressaltando que: "[...] [t]ambém necessária a providência para a manutenção dos investigados fora do convívio social, especialmente porque constatado que têm comportamento em descompasso com a ordem pública e com o exercício da atividade policial";

(iii) na arguição do membro do Ministério Público quando esse fez questão de enaltecer a instituição policial e enfatizar que os jurados estavam reunidos naquele dia para julgar um *"mau policial",* cuja conduta não tinha a ver com a PM, chegando a afirmar: "Uma das instituições que eu mais respeito, inclusive tenho até parentes meus lá";[62]

(iv) no interrogatório de Humberto, policial militar que havia confessado na corregedoria e em plenário do júri: "Fui buscar cobrir minha equipe, para que meu erro não respingasse sobre meus colegas."[63]

Esses argumentos que expressam a técnica processual de individualização da conduta de um réu, por um lado, também serviram para reforçar a ideia de responsabilidade solitária que acompanha os policiais militares em processos dessa natureza, por outro lado.

Mesmo diante dessas circunstâncias, nas quais a imagem do policial foi dissociada da instituição, ele ainda se valeu do instituto do desmembramento dos processos na ocasião do julgamento em plenário do júri.

GRAU QUATRO – POLICIAIS MILITARES QUE ATIRARAM E OS DISPAROS ATINGIRAM UMA VÍTIMA, LEVANDO-A A ÓBITO, E QUE FORAM DENUNCIADOS, PRONUNCIADOS E JULGADOS PERANTE O JÚRI, SENDO, AO FINAL, CONDENADOS

Este seria o patamar em que se encontram policiais militares que, durante uma abordagem, matam pessoas, posteriormente são denunciados, passam pelas fases de julgamento e são condenados pela acusação de homicídio doloso. No caso sob análise, não foi identificada essa maneira de implicação no processo porque não houve condenação dos réus. Mas este último e mais alto grau de implicação nas formas de responsabilização se fez presente em um outro caso observado ao longo da pesquisa, que, como se sabe de outros trabalhos, constitui uma situação de tipo excepcional.

A identificação de maneiras diferenciadas de implicação no processo ajuda a compreender de forma pormenorizada a distribuição, e talvez até a intensidade ou a gravidade, com as quais mecanismos jurídicos de proteção processual são implementados por meio de práticas de atores individuais e institucionais, o que pode dar ensejo a diferentes graus de responsabilização, isto é, os dados analisados apontam para o fato de que sujeitos responsabilizáveis dentro do fluxo processual de responsabilização da *polícia que mata* podem sofrer a incidência de sanções de maneira desigual e desproporcional a depender da exposição dos referidos sujeitos na mídia, por exemplo.

No quadro a seguir, é possível visualizar as diferentes formas de implicação dos sujeitos responsabilizáveis ao longo do fluxo, apresentados ao longo deste item.

Quadro 1 — Formas de implicação de policiais em processos de responsabilização

Graus de implicação	Sujeito responsabilizável	Envolvimento no processo	Razões
Zero	Polícia Militar do estado de São Paulo.	Não houve.	Não foi responsabilizada pelos fatos em nenhuma das esferas observadas.
Um	Policiais militares que atiraram, mas os disparos não atingiram pessoas.	Aparecem no BO/DHPP apenas na condição de vítimas. Em âmbito administrativo, não houve instauração de procedimento disciplinar para apuração e responsabilização. Mas cabe frisar que esses policiais tiveram seus nomes registrados no BO/DHPP.	Ação policial dentro do registro de "legalidade" admitido pela instituição, pelas práticas profissionais admitidas entre os PM e pelos atores que avaliaram as ações.
Dois	Policiais militares que atiraram e os disparos atingiram uma vítima, levando-a a óbito, mas não houve denúncia.	Arquivamento do inquérito policial do DHPP, tendo em vista a identificação de excludente de ilicitude por legítima defesa, pelo Ministério Público, e reconhecimento pelo juízo. Não foi identificada a instauração de procedimento administrativo disciplinar.	Ação policial dentro do registro de "legalidade" admitido pela instituição, pelas práticas profissionais admitidas entre os PM e pelo Ministério Público.
Três	Policiais militares que atiraram e os disparos atingiram uma vítima, levando-a a óbito, e que foram denunciados, pronunciados e julgados perante o júri, sendo, ao final, absolvidos.	Exonerados a pedido e posteriormente expulsos da PM. Absolvidos da acusação de homicídio doloso pelo júri.	Ação policial fora do registro de "legalidade" admitido pela instituição, pelas práticas profissionais admitidas entre os PM e pelo Ministério Público. Mas dentro do registro de legalidade admitido pelo júri, que opera sob uma racionalidade específica.
Quatro	Não identificado no caso estudado, apenas no material coletado na fase de aproximação ao campo. Policiais militares que atiraram e os disparos atingiram uma vítima, levando-a a óbito, e que foram denunciados, pronunciados e julgados perante o júri, sendo ao final condenados.	Expulsos da corporação e condenados por homicídio doloso.	Ação policial fora do registro de "legalidade" admitido pela instituição, pelas práticas profissionais admitidas entre os PM, pelo Ministério Público e pelo júri.

Fonte: Elaborado pela autora (2020).

A participação de alguns atores ao longo de todo o fluxo e a interrupção quase abrupta da participação de outros apontam para uma correlação entre o fato de o policial militar, réu nesse tipo de caso, ser exposto pelos veículos de comunicação e expor a instituição, por um lado, e a intensificação de sua responsabilização ao longo do fluxo processual do sistema de justiça, percorrendo mais etapas – podendo alcançar, inclusive, a fase sancionatória e de execução da pena.

11
CULTURA DA (AUTO)IMUNIDADE INSTITUCIONAL

Monjardet (1996) propõe uma ferramenta analítica para estudar uma instituição como a polícia. Sugere uma trilogia a partir da qual podemos compreendê-la a partir da observação (i) das normas que a instituem; (ii) da organização estabelecida para seu funcionamento; e (iii) das práticas profissionais de seus agentes. A partir desse referencial, buscou-se aferir outros mecanismos de proteção da instituição policial, identificáveis no decorrer das práticas profissionais, que não permitiram a existência e/ou a "sobrevida" dos processos de responsabilização na esfera administrativa.

O SILÊNCIO DOS "INOCENTES"

Um dos primeiros mecanismos a ser mencionado é a omissão e a aderência de policiais militares que presenciam mortes provocadas por colegas de profissão em circunstâncias de abordagem e não reagem a esse fato de modo a provocar a instauração de processos administrativos disciplinares, o que produz uma manifestação da *lógica imunitária*.

A releitura dos registros referentes à participação dos atores internos e externos possibilitou observar, mais uma vez, outro mecanismo de proteção da instituição. Para que o processo superasse as inúmeras barreiras do sistema de justiça, foi fundamental a autoavaliação de um dos policiais envolvidos diretamente na ocorrência, cuja confissão funcionou como a força motriz do processo de responsabilização administrativo. De maneira geral, pode-se afirmar que é a partir da prática policial que podem surgir mecanismos que aumentem as possibilidades de haver processos, garantindo sua sobrevida.

A conivência de policiais militares diante de condutas que violam o regimento interno da polícia militar, paradoxalmente, fortalece a *lógica imunitária* da instituição e reforça a ideia de impunidade associada ao corporativismo, que apareceu com bastante força na literatura e em alguns argumentos mobilizados pelo membro do MP em plenário do júri de Humberto, os quais sinalizavam que a impunidade só não era maior porque "há uma rusga entre a Polícia Militar e a Polícia Civil, quando uma polícia quer corrigir a outra de forma exemplar".[64]

No mesmo sentido, a divulgação da confissão do PM em veículos de comunicação, bem como a persistência dos familiares diante da atuação da polícia civil, também favoreceu o ingresso do caso na esfera criminal.

A EXONERAÇÃO A PEDIDO NO CURSO DE PROCESSO ADMINISTRATIVO

A *lógica imunitária* pôde ser notada no desfecho do processo administrativo disciplinar. Na esteira de se observar os mecanismos passíveis de instituir uma punição aos policiais militares, a expulsão deles da corporação parecia indicar um importante mecanismo de responsabilização.

No entanto, o que se viu foi que o desligamento funcional dos policiais militares da corporação foi uma estratégia dos réus para produzir suas defesas processuais, ao mesmo tempo em que se protegiam do impacto da existência de processo criminal em suas vidas pessoais e profissionais.

Num primeiro momento, a expulsão de Humberto e Arthur como conclusão e resultado de um curso processual parecia indicar que a única instância que efetivamente havia funcionado para punir aqueles policiais seria a esfera administrativa, dado que um fato considerado corriqueiro por ativistas e pesquisadores é a manutenção de policiais que praticaram mortes em exercício nos quadros da PM, inclusive na mesma função que trabalhavam anteriormente ao fato – quando não são promovidos na hierarquia, assumindo funções ou cargos de maior prestígio, conforme apontado por Machado e Machado (2015) nos estudos sobre o massacre do Carandiru.

Contudo, a expulsão dos referidos policiais militares não seria efetivada, dado que os dois haviam pedido exoneração dos respectivos cargos e funções, concedida ainda no curso do processo administrativo – os pedidos foram homologados cinco dias antes da decisão que expulsou os policiais da corporação. Assim, a decisão do Conselho de Disciplina não teve eficácia, pois os mesmos já não eram policiais militares.

Os estudos de Direito Administrativo sinalizam que na esfera civil federal esse tipo de estratégia não é admitida. Segundo Marcelo Alexandrino e Vicente Paulo (2018), o servidor que estiver respondendo a um processo administrativo disciplinar só poderá ser exonerado a pedido ou aposentado voluntariamente após a conclusão do processo, conforme art. 172 do Estatuto dos Servidores Públicos

Civis. Dispositivos similares não foram encontrados no Regulamento Disciplinar da Polícia Militar (Lei Complementar nº 893, de 09/03/2001), tampouco nas Instruções do Processo Administrativo da Polícia Militar – (I-16-PM) – de 31/07/2013. Entende-se, portanto, que essa brecha legislativa pode ser aproveitada nas práticas dos profissionais, caso entendam que possam se beneficiar delas.

No julgamento de Arthur, o promotor de justiça justifica a estratégia de pedir exoneração no curso do processo administrativo dizendo que a expulsão impediria que o ex-policial militar conseguisse emprego em outros lugares, o que explicaria a necessidade da exoneração antes da conclusão do processo, para "não se sujar". Segundo um advogado que acompanhava do plenário o julgamento, e que foi entrevistado para a presente pesquisa, a referida estratégia é comum e corriqueiramente sugerida no meio, pois permitiria que o policial exonerado a pedido até prestasse novo concurso para a PM, não sendo o fato impeditivo para reingresso na carreira.

Dessa forma, o registro do fato nos "assentos" dos policiais militares antes do arquivamento determinado na conclusão do processo administrativo parece ter sido a resposta mais efetiva dessa esfera ao caso, única resposta viável diante das circunstâncias e do quadro normativo estadual. Trata-se de uma resposta que reforça a imunização da própria polícia.

O quadro ao lado sintetiza os mecanismos jurídicos que conformaram a "*lógica imunitária*" no tratamento jurídico das *abordagens policiais que resultaram em morte no sistema de justiça*.

A gama de respostas dadas pelo sistema de justiça às abordagens policiais que resultaram em morte nos remete

Quadro 2 — Mecanismos de proteção

Inscritos em âmbito Legislativo	Observados nas práticas processuais	Expressos em atos que podem denotar uma cultura institucional
Ausência de protocolo público sobre os limites da atuação da polícia militar. Legítima defesa.	Filtragem e realocação do caso ao longo do fluxo processual pela incorporação de novos sentidos atribuídos por aqueles que atuaram diretamente no caso.	O silêncio dos inocentes.
Julgamento de policiais militares na esfera criminal por um tribunal leigo: júri.	Arquivamento do inquérito policial civil e o poder conferido ao MP pelo art. 28 do Código de Processo Penal.	
Ausência de tutela coletiva de direitos em relação à atuação policial.	Absolvição de homicídio doloso/condenação por fraude processual.	A exoneração a pedido no curso de processo administrativo.
Impossibilidade de responsabilização criminal da polícia militar.	Uso da prisão provisória.	
	Distribuição desigual da responsabilidade: os graus de responsabilização.	

Fonte: Elaborado pela autora (2020).

a um tipo de tratamento que não pode ser ignorado – para além da resposta que tem sido privilegiada pela literatura, valorizando a punição em sentido estrito (cumprir pena de prisão), seja ao explorar o desfecho criminal e sua efetividade (NEME, 1999; CANO, 1999; SUDBRACK, 2008; RIBEIRO, MACHADO, 2016), seja percorrendo as previsões legais que permitem a exclusão de ilicitude do fato (MISSE *et al,* 2011; ZACCONE, 2015). A partir dos dados expostos na pesquisa, foi possível identificar inúmeras outras respostas do sistema de justiça que permitiram e alavancaram o processo de responsabilização para esse desfecho ou que puderam interromper ou criar desvios para esse percurso.

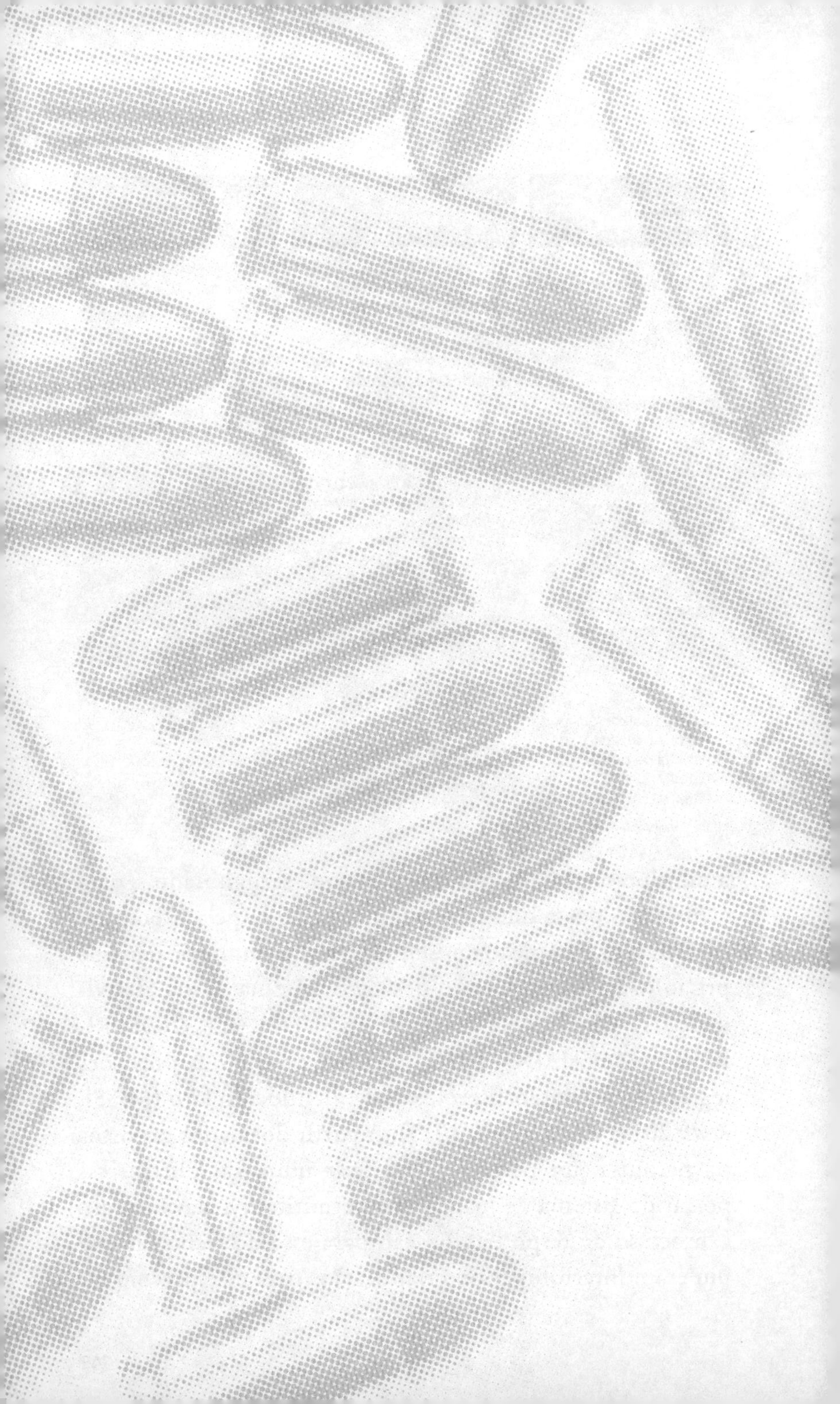

Conclusão

Não se trata de pessoas. Tampouco de empatia ou consideração. O tratamento jurídico da letalidade policial se sustenta em um conjunto de estruturas e relações jurídicas que autorizam constantes suspensões e interrupções nos fluxos de responsabilização. Por isso, pouco importa de quem é a mãe que chora. O importante é a instituição se manter de pé.

A *lógica imunitária*, que blinda a *polícia que mata*, se mantém onipresente, de ponta a ponta, no sistema de justiça. De um lado, se vale de um arranjo institucional que valoriza a racionalidade e o formalismo para colocar o Estado democrático de direito de joelhos. De outro, aprecia a ideia de "separação de poderes" para utilizar uma multiplicidade de intervenções que garanta uma rede de proteção da polícia.

A partir de todos os elementos elencados ao longo desta obra, é possível começar a desvendar outros mecanismos que amparam a *lógica imunitária*. Abre-se, assim, um caminho para a produção de novas reflexões sobre as instituições brasileiras do Estado de direito que ignoram a importância de tratar – a curto, médio e longo prazo – a letalidade policial como um problema político e social da maior importância, de acordo com os parâmetros democráticos.

A narrativa do caso constituiu um necessário exercício de observação das práticas estatais. Ademais, estabeleceu um convite àquelas pessoas que duvidam que, em pleno século XXI, possa haver práticas autoritárias nas ruas, ações truculentas da polícia, flagrantes forjados. Mostrou muito concretamente os percursos de policiais militares quando matam em serviço fora da lei. Por fim, surpreendeu aqueles que apostaram em desfechos diferentes para o policial que confessou a prática de um crime em relação àquele que manteve inalterada a versão dos fatos.

Tal narração se revelou um fio condutor. Partiu das primeiras narrativas sobre o caso – versões que alcançaram os veículos de comunicação, versões oficiais e extraoficiais –, passando por todas as etapas do trânsito no sistema de justiça e, ao final, expôs todas as respostas do fluxo processual de responsabilização, cujo ápice foi a absolvição dos réus perante o tribunal do júri.

Diante de um caso da vida real, cuja escolha não foi aleatória, explorei o contexto no qual as abordagens policiais que resultam em morte estão imersas. Tensionei a ideia de Estado de direito diante da atuação policial, mostrando como a redemocratização do país, pautada na ausência de rupturas e na continuidade das elites políticas, se revela um terreno fértil para a violência policial. Foram apresentadas as regras do jogo, nas diferentes esferas de responsabilização no direito: criminal, civil e administrativa. Ficou patente como esse arranjo jurídico pode ser disfuncional ao produzir "hipersancionalização" ou, ao contrário, "dessancionalização", pautando-se na desarticulação das regras do jogo e na excessiva fragmentação das respostas.

Os dados estatísticos, produzidos por diferentes organizações, continuam desmascarando as escolhas do poderes Executivo e Legislativo federal. Quem morre são pessoas negras e pobres, majoritariamente. Como resposta, a indiferença. Fica evidente que a letalidade policial não constitui nem um problema nem uma prioridade para o poder executivo federal. Ao contrário, nos anos entre 2019 e 2021 houve movimentos institucionais que buscaram intensificar a não responsabilização de agentes públicos envolvidos em eventos com mortes de civis. Mais um dos efeitos da Era Bolsonaro, onde o culto à militarização e à supressão de direitos civis roem paulatinamente a democracia brasileira. O cenário de morte persiste, diante da ausência, insuficiência ou inutilização de parâmetros públicos do uso da força policial.

Voltando aos insumos do caso, apareceram novos aspectos de sua estrutura. Com uma lente mais analítica, foi possível organizar os dados em torno da noção de lógica imunitária. Aparecerem os mecanismos de proteção da polícia, inscritos na legislação, presentes nas práticas e procedimentos processuais e em condutas que evocavam uma cultura institucional autoritária na própria polícia. Todos esses mecanismos – conjuntamente considerados *a posteriori* e resultando numa composição eficaz – são capazes de produzir a blindagem da *polícia que mata*.

Entre o primeiro disparo e o "mimimi" atribuído aos movimentos sociais, há uma engrenagem sofisticada: respostas estatais formais com poucos ou nenhum instrumento de (auto)avaliação, multiplicidade de intervenções opacas, regras desarticuladas e respostas fragmentadas. O uso da força não é parametrizado, nem controlado, e o arquivamento do processo se dá sob a responsabilidade do Ministério Público. Por sua vez, o judiciário movimenta suas peças: arquiva, havendo ou não excesso por parte dos PMs, participa de um julgamento realizado por leigos, com impossibilidade permanente de a instituição policial sentar no banco dos réus. Resta a constante preeminência da versão dos policiais.

Nas entranhas do sistema, não há freios entre o primeiro disparo e o veredito final.

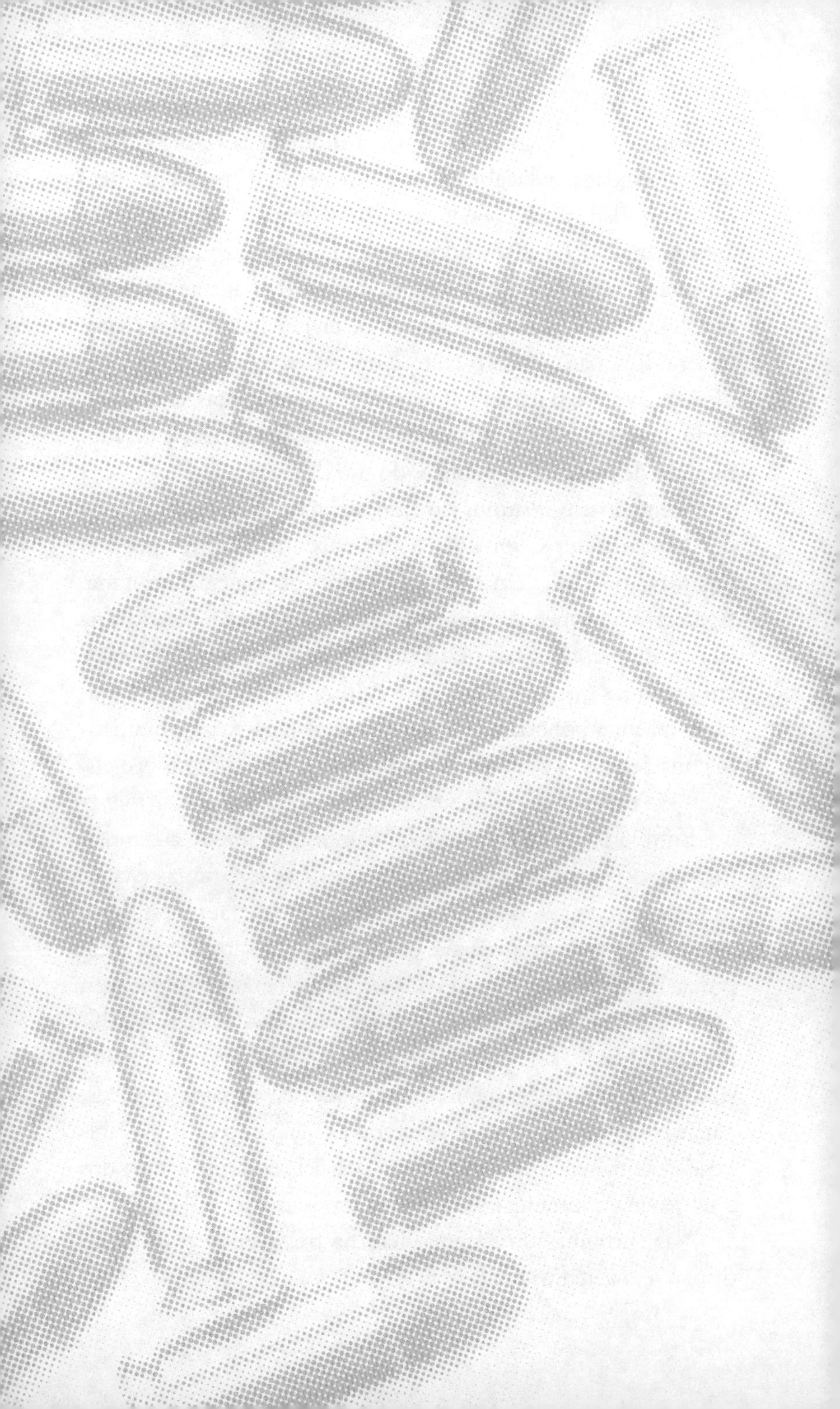

Apêndice
IMERSÕES E PASSAGENS

A coleta, seleção e escolha do caso não são tarefas triviais. Nesta seção, apresentarei, brevemente, as estratégias metodológicas e o percurso da pesquisa, organizado de modo a expor as etapas operacionais de sua execução, o alcance e limites do método adotado, bem como a explicitação de alguns elementos subjetivos do caminho investigativo.

1. PERCURSO

A pesquisa foi desenvolvida a partir de cinco etapas operacionais, que compõem o conjunto da metodologia utilizada, isto é, o "estudo de caso": revisão da literatura, aproximação ao campo, aprofundamento teórico e fixação da pergunta, definição do método e análise. Cada uma das referidas etapas não se deu de forma independente e linear, mas foi resultado de constantes movimentos de idas e voltas, partidas sem chegadas, altos e baixos, enfim, alternâncias usuais no âmbito de pesquisas qualitativas e quantitativas, na qual o método se constrói ao caminhar, assim como frequentemente acontece na vida. Nas linhas seguintes, apresento cada uma das etapas percorridas ao longo desse percurso.

SOBRE AQUILO QUE JÁ FOI DITO

O primeiro passo se deu com a revisão de literatura, que teve por objetivo compreender como outros/outras pesquisadores/pesquisadoras trataram o tema, com seus principais problemas metodológicos e teóricos para a elaboração do desenho e execução da pesquisa. Assim, buscou-se identificar como os/as autores/as – inscritos/as ou não no campo do direito – fizeram a entrada na temática e desenvolveram suas investigações. Interessava saber quais objetos, técnicas e quadros teóricos foram priorizados por mestres/as, doutores/as e outros/as pesquisadores/as, além dos/as autores/as que se dedicam à produção de doutrina de Direito Penal e Processo Penal. Essa etapa foi realizada durante o período de outubro de 2016 a julho de 2017 e foi executada com buscas no Catálogo de Teses e Dissertações da Capes e no Portal Google Acadêmico, a partir dos seguintes termos: "auto de resistência", "morte praticada pela polícia", "*polícia que mata*", "homicídio praticado pela polícia", "morte decorrente de intervenção policial", "abordagem policial com resultado morte" e variações no plural. Da referida busca, foram obtidos mais de quarenta trabalhos, das mais variadas áreas.[65]

APROXIMAÇÃO AO CAMPO

A etapa exploratória do campo iniciou-se logo após a revisão de literatura. Tratava-se de encontrar um ou diversos processos com características específicas, úteis para um estudo de caso. Dentre os cerca de trinta processos examinados – num primeiro momento, apenas por meio dos veículos de comunicação, posteriormente, nos tribunais do júri do Fórum Criminal da Barra Funda –, foram selecionados quatro, a partir dos seguintes critérios de escolha: ingresso da abordagem policial com resultado morte no sistema de justiça, trânsito do caso em pelo menos duas das esferas do direito – entre a criminal, a administrativa e a civil –, acessibilidade a um maior conjunto possível de fontes de coleta de dados (reportagens sobre o caso disponíveis, processos em andamento, familiares disponíveis, audiências a serem realizadas).

Os quatro processos selecionados nessa etapa da pesquisa foram:

Caso 1: "O publicitário"
Julgamento da atuação policial que resultou no homicídio de um publicitário, branco, morador de bairro privilegiado, que se tornou suspeito após desobedecer ordem de parada numa blitz policial. Os três réus, todos policiais, atiraram contra o carro da vítima, que morreu no hospital. Presos por nove dias, os agentes foram soltos por meio de *habeas corpus* e passaram a trabalhar internamente na corporação, por um mês, desempenhando tarefas administrativas. Voltaram às ruas e trabalharam por quase um ano nas mesmas funções daquelas anteriores à ocorrência até serem demitidos da corporação como resultado da conclusão do processo administrativo. Salienta-se que o caso repercutiu na grande imprensa e mobilizou as três esferas aqui observadas. Atualmente, encontra-se em fase de recurso, na esfera penal, já que os policiais militares foram absolvidos da acusação de homicídio doloso. Em âmbito civil, destaca-se o desenrolar das ações de indenização propostas pela família e a ação de reintegração ao cargo público proposta pelos policiais militares perante a justiça militar.

Caso 2: "O motoboy"
Segundo consta da denúncia, no dia 8 de maio de 2010, policiais militares, durante uma abordagem de rotina, teriam agredido a vítima com golpes de socos e pontapés até a morte. Apesar desse homicídio não ter ocorrido por arma de fogo, como nos demais casos, ele mereceu atenção pelo fato de a denúncia ministerial ventilar o elemento referente à cor da vítima como principal motivo para ela ter sido morta. A acusação foi formalizada com o pedido de condenação dos policiais pelas práticas de homicídio qualificado, fraude processual e racismo. Em plenário do júri, o Conselho de Sentença decidiu por desclassificar o delito doloso contra a vida, para o crime de homicídio culposo, tipificado no artigo 121, § 3º e § 4º, do Código Penal, porque entenderam os jurados que os acusados não assumiram o risco de produzir a morte da vítima, pois agiram em estrito cumprimento de dever legal, mas se excederam, culposamente, por imperícia.

Caso 3: "Caso filmado"
Este caso teve ampla repercussão nacional em virtude de a abordagem policial ter sido filmada por câmeras de segurança da região onde se deu a ocorrência, no dia 7 de setembro de 2015. Elas flagraram o momento em que a vítima, já dominada e algemada por três policiais militares, é alvejada com dois tiros. Em trânsito pelo sistema de justiça, dois dos policiais foram absolvidos da acusação de homicídio, embora um destes tenha sido condenado a quatro anos de reclusão por fraude processual; um terceiro foi condenado por homicídio, fraude processual, falsidade ideológica e por porte/posse de arma de fogo com numeração, marca ou qualquer outro sinal de identificação raspado, suprimido ou adulterado, crime previsto no estatuto do desarmamento, culminando em um

total de mais de doze anos de reclusão. Foi a única situação em que houve condenação por homicídio doloso entre os casos identificados.

Caso 4: "Farsa do réveillon"
(caso apresentado ao longo deste livro)
Este caso se tornou relevante por oportunizar o aprofundamento de aspectos qualitativos relacionados à letalidade policial e ao seu tratamento no sistema de justiça, notadamente questões não respondidas por pesquisas quantitativas acessadas no decorrer da investigação, a exemplo dos dados produzidos pelo Fórum Brasileiro de Segurança Pública, pelo Instituto Sou da Paz e pela Ouvidoria de Polícia do Estado de São Paulo, material que foi fundamental para o desenho deste texto.

A aproximação ao campo também ocorreu mediante o levantamento da legislação infraconstitucional de controle da polícia e o levantamento da legislação infralegal que orienta, em caráter administrativo, as ações policiais em casos de morte decorrente de intervenção policial. Realizou-se, ainda, o contato com instituições que atuaram de alguma forma nos casos, em qualquer das esferas, a exemplo da ONG Centro Santo Dias de Direitos Humanos da Arquidiocese de São Paulo e a Ouvidoria de Polícia de São Paulo.

A ESCOLHA DA TRILHA E O AJUSTE DA BÚSSOLA:
APROFUNDAMENTO TEÓRICO E FIXAÇÃO DA PERGUNTA
Nesta etapa, foi realizado o refinamento do quadro teórico no qual a pesquisa estava imersa, notadamente por meio de uma aproximação com os estudos da Sociologia da Administração do Sistema de Justiça Penal[66] e Sociologia das Relações Raciais. O resultado das leituras realizadas nessa fase encontra-se difuso no texto.

DESENHANDO O MAPA: DEFINIÇÃO E ESCOLHA DO MÉTODO

A etapa seguinte consistiu em escolher um único caso para o desenvolvimento da pesquisa. O estudo de caso é um método qualitativo que permite compreender, com alto grau de profundidade, realidades individuais, organizacionais, sociais e políticas. Por meio dele, é possível desenvolver investigações empíricas de um fenômeno contemporâneo dentro de um determinado contexto (YIN, 2001).

No campo do direito, o estudo de caso

"convida os pesquisadores em direito a observar o sistema de justiça sem as barreiras impostas pelas áreas jurídicas, a atentar às interações processuais e às suas implicações ao desfecho do caso" (MACHADO, 2014, p. 14).

Isto é, permite observar os trâmites e as prováveis interligações, diretas ou indiretas, explícitas ou implícitas, entre os casos, transpondo as barreiras impostas pela observação segmentada das diversas esferas do direito.

A escolha de um único caso após uma etapa de trabalho que selecionou quatro, sem descartar definitivamente os outros, trouxe não só a possibilidade de estabelecermos correlações entre eles, mas também uma variabilidade de formas de abordar, exemplificar e de comparar com outras situações-problema similares. Isto é, tem-se a oportunidade de observar como em determinada fase do processo judicial alguns fatos importantes para o desfecho do caso foram valorizados, ignorados, valorados e/ou comunicados interna e externamente.

TÉCNICAS MOBILIZADAS

Para a coleta dos dados, diferentes técnicas foram utilizadas. Por um lado, valorizou-se a leitura e a análise dos documentos pertinentes: portarias, ofícios, boletins de ocorrência, auto de exibição e apreensão, termos de declaração, relatórios de investigação papiloscópica* e cadáver, relatório pericial papiloscópico de local de crime, autos de qualificação e interrogatório da Corregedoria da Polícia Militar, ordens de serviço, relatório de investigação da polícia civil, notificação de IP/DHPP, pareces do Ministério Público, termos de inquirição de testemunhas, laudos de exame cadavérico, laudo de exame de balística, laudo de exame de corpo de delito, declarações, mandados de prisão temporária, comunicados, certidões, decisões, sentenças, acórdãos, petições, fichas funcionais, cartas precatórias, mandados de intimação e demais documentos inominados presentes nos autos dos processos.

Por outro lado, para além da leitura e análise dos processos, foram realizadas entrevistas semidiretivas com os profissionais de diversas instituições que atuam na área e observações de algumas fases dos processos, sempre buscando trabalhar com materiais produzidos pelo próprio sistema de justiça. Portanto, como acontece normalmente em estudos de caso, foram utilizadas diversas técnicas e fontes de pesquisa: análise documental, entrevistas semidiretivas, observação participante de inspiração etnográfica.

A análise documental consistiu na leitura e investigação de todos os documentos relacionados ao caso, entendidos como "não apenas os registros escritos, manuscritos ou impressos em papel, mas toda a produção cultural consubstanciada em alguma forma material" (REGINATO, 2017, p. 194). Isto é, além de documentos comumente produzidos ao longo de um processo judicial e administrativo, muitos dos quais citados anteriormente, reportagens jornalísticas, avisos

---

* Referente a papiloscopia, técnica de identificação humana utilizada pela polícia civil. Segundo Claudia Muller Goldberg Senna (2014), a papiloscopia consegue identificar uma pessoa a partir das "cristas dérmicas", o que permite a identificação individual por meio das impressões palmares, das pontas dos dedos e da planta dos pés.

afixados nos corredores do fórum, registros impressos oriundos de referências ao caso em redes sociais, fragmentos de dez processos referentes a outros casos, a legislação e a doutrina citadas nos documentos produzidos diretamente pelos operadores do direito atuantes no caso, informativos e julgados do Tribunal de Justiça do Estado de São Paulo, do Superior Tribunal de Justiça e do Supremo Tribunal Federal, todos referenciados ao longo do texto.

As entrevistas realizadas foram do tipo "semidiretivas", técnica de pesquisa que favorece a interação entre pesquisadora e sujeito investigado, de forma estruturada e dirigida. Essa modalidade possibilita ao entrevistado explorar suas percepções sobre um ponto específico da realidade social (XAVIER, 2013, 2017). Ao todo foram realizadas dezoito entrevistas, entre as quais três formais e quinze informais. As entrevistas formais contaram com a colaboração de dois juízes (um deles atuante no caso escolhido), ambos exercendo suas funções no âmbito dos tribunais do júri de São Paulo, além do ouvidor da polícia, que exerceu a função em 2017. As informais contaram com a colaboração de seis advogados de defesa durante as sessões de julgamento; com quatro familiares de vítima de casos que foram descartados; com o representante do setor de Relações Públicas da polícia militar do estado de São Paulo; e quatro serventuários da justiça durante sessão de julgamento.

A observação das práticas institucionais se deu nos ambientes forenses, mas não só. Estão incluídos na observação todos os ambientes em que foram realizadas entrevistas. Entre outubro de 2016 e fevereiro a maio de 2017, foram feitas diversas visitas ao Fórum Criminal da Barra Funda. Ao menos cinco júris puderam ser acompanhados com observações participantes, e elas se desdobraram em várias sessões. Do caso escolhido, foram dois júris, que ocorreram em datas diferentes.

A observação participante, de inspiração etnográfica, consistiu em realizar uma descrição densa dos sujeitos e relações, isto é, selecionar, interpretar e transcrever, quase que de forma simultânea, fenômenos sociais e jurídicos (ou sociojurídicos) postos em cena, similar ao que o antropólogo Roberto Cardoso de Oliveira relaciona às "condições de textualização", isto é, "trazer os fatos observados (vistos e ouvidos) para o plano do discurso" (OLIVEIRA, 1996, p. 23).

A preocupação de descrever densa, rigorosa e criteriosamente os sujeitos e as relações tangenciou a etnografia, apenas uma similaridade, não só porque não foi utilizado o ferramental teórico que integra a formação em Antropologia, mas também pela escolha de priorizar outras fontes além da observação. Esse fato, no entanto, não inviabilizou o cuidado e o rigor que a pesquisadora manteve para retratar, expor e explicitar o que foi interpretado da interação entre ela e a gama de sujeitos com os quais interagiu.[67]

Por óbvio, o esforço de escrever sobre o que se interpretou de uma dada interação é uma tarefa exigente, porque, conforme salienta Rebecca Igreja (2017) ao resgatar as ideias de Gilberto Velho (1978), o esforço reside no exercício de sempre estranhar o que lhe é familiar, rotineiro, do cotidiano, o que requer escolhas para priorizar os elementos mais relevantes.

IDENTIFICAÇÃO DAS NOVAS ROTAS: A ANÁLISE

A análise do caso, ou melhor, o processo analítico, iniciou-se desde os primeiros movimentos de coleta de dados e consistiu num conjunto desordenado, mas sequencial, de atos com o fim de produzir teorização a partir dos elementos estruturais que emergiam do(s) caso(s). Analisar aqui tem o sentido empregado por Bernadet (1985) e recuperado por Maíra Machado (2017) nos trabalhos sobre o estudo de caso como método de pesquisa compatível com o direito: "descobrir mecanismos de composição, de organização, de significação, de ambiguidade, estabelecer a coerência ou as contradições entre esses mecanismos" (BERNADET, 1985, p. 183 *apud* MACHADO, 2017, p. 383). Para tal, o processo analítico se desdobrou na elaboração da *narrativa do caso* e da análise dos dados.

A construção da narrativa do caso resultou de uma análise realizada sobre um evento histórico específico, apta a contribuir com o campo de estudos sobre o qual a pesquisa se insere (MACHADO, 2017). Teve a intenção de apresentar um registro de fatos selecionados considerados relevantes frente aos objetivos da pesquisa, à ordem cronológica dos desdobramentos perante as instituições do sistema de justiça e às percepções da pesquisadora como sujeito político.

A análise dos dados consiste na "elaboração de uma teoria da prática que leva em conta a complexidade do caso com suas diferentes dimensões" (LEPLAT, 2002, p. 18), por meio do processo intelectual de generalizar elementos estruturais do caso em estudo (AYERBE; MISSONIER, 2007), resultado da interação entre a pesquisadora, os dados coletados e o confronto com a realidade. Para isso, foi necessário um trabalho especial para selecionar os fatos, as ações e os personagens – os insumos do caso – que mereceriam uma descrição privilegiada e uma retomada em diálogo com o quadro teórico.

2. FRONTEIRAS E LIMITES

A escolha de trabalhar com um único caso trouxe como limitação imediata a diminuição do escopo de generalizações. Para que as vantagens da referida estratégia se sobrepusessem às suas limitações, alguns cuidados foram tomados para garantir a validade do resultado da pesquisa.

Para que se obtenha resultados válidos, é necessário que haja correspondência entre o que é observado e o mundo "real". Portanto, a validade dos resultados da pesquisa está relacionada ao rigor empírico que permite a diminuição das possíveis ameaças à relação entre dados coletados e a "realidade" (KAMINSKI, 2018). Por isso, algumas medidas foram tomadas para evitar a deturpação, a contrafação ou a adulteração das ideias dos sujeitos da pesquisa.

Algumas das possíveis ameaças à validade do resultado do estudo que poderiam alterar ou dificultar radicalmente a relação entre dados coletados e a "realidade" observada foram: (i) modificações de comportamentos e ideias dos sujeitos da pesquisa; (ii) construção de ponto de vista normativo a respeito de como deveriam ser os procedimentos e ações de membros do Ministério Público, juízes, defesa e réus; (iii) monopólio das fontes da pesquisa pela pesquisadora, isto é, ausência de explicitação dos procedimentos adotados para realização do estudo e (iv) a subjetividade da pesquisadora – o que inclui relações de afeto, emoções e a repulsa diante da identificação de práticas opressivas/discriminatórias por parte dos sujeitos envolvidos, ao longo da interação, que poderiam dificultar a leitura dos dados.[68]

Cabe salientar que com os procedimentos mencionados não se buscou neutralidade, tampouco uma pureza positivista da pesquisa, mas a construção de um trabalho que beneficiasse a comunidade acadêmica justamente por permitir transparência, rigor, diversidade de fontes e argumentos plausíveis na elaboração da pesquisa. A intenção foi reunir elementos que permitam que outro pesquisador consiga "entender, avaliar, basear-se em e reproduzir a pesquisa sem que o autor lhe forneça qualquer informação adicional" (EPSTEIN; KING, 2013, p. 47), o que ajuda na própria compreensão dos resultados da pesquisa.

A partir de uma abordagem de cunho indutivo, buscou-se a produção de plausibilidade, isto é, procedimentos que permitem que uma pesquisa seja aceita pela comunidade acadêmica tanto por encontrar correspondência com a realidade, quanto pela sua capacidade de produzir generalização com outras situações (CAPPI, 2014; KAMINSKI, 2018) – construída por meio de processos de triangulação de dados e de métodos de pesquisa.

Por fim, o método apresentou uma limitação que não foi possível de ser superada: o estudo de caso único revelou-se não viável para a elaboração de evidências referentes a marcadores sociais de diferença. Assim, diante da estrutura que não permite a produção de generalizações estatísticas, as leituras pautadas em raça, gênero, classe, religião e geração só foram possíveis mediante a produção de hipóteses, dispostas de maneira difusa ao longo de todo o texto.

3. AQUELA QUE OBSERVA

Explicitar os elementos subjetivos da pesquisa, como lembra Linda Alcoff (2016), significa deixar claro para os leitores e leitoras o conjunto de fatores constitutivos da própria construção do objeto da pesquisa e das estratégias metodológicas, notadamente, aqueles componentes que permitiram a configuração de um olhar específico da pesquisadora sobre a atuação da justiça diante da letalidade das ações policiais, registrando-se, portanto, um lugar de fala (RIBEIRO, 2017) e sinalizando-se os lugares de observação (FERREIRA, 2021).

A construção desse olhar passou necessariamente por uma trajetória pessoal e acadêmica iniciada na graduação, junto ao Grupo de Pesquisa em Criminologia da Universidade do Estado da Bahia, e, mais tarde, com a participação no Programa de Iniciação Científica da FGV Direito SP, onde já estava pautado o estudo da problemática do homicídio e da atuação policial. Soma-se a isso, a experiência, como estagiária de direito, na Defensoria Pública do Estado da Bahia, mais especificamente na Especializada Criminal e de Execução Penal e no Instituto Pedra de Raio, organização não governamental focada em ações e projetos ligados às relações raciais, proteção de direitos humanos e mediação de conflitos. No mestrado, a aproximação com as pesquisas do Núcleo de Estudos sobre o Crime e a Pena, sobre os processos de responsabilização relativos ao Massacre do Carandiru, também contribuiu para um olhar refinado sobre o tema.

A construção do objeto da pesquisa ainda foi beneficiada pelas experiências pessoais de quem já sentiu (e ainda sente) pessoalmente os efeitos do racismo e da violência policial, já que, conforme lembra Vilma Reis, "enquanto um homem negro continuar sendo humilhado numa blitz da polícia, todas e todos nós estaremos na linha de tiro".[69] Nesse sentido, vivenciar algumas atividades políticas na condição de mulher negra, militante contra o racismo antinegro, foi fundamental para ampliar o horizonte de possibilidades na pesquisa e na vida, ao lançar um olhar sobre uma realidade que demanda mudanças estruturais.

O fato de ocupar o lugar de escuta privilegiada em espaços muito especiais se mostrou uma importante ferramenta de aprendizagem. Destacam-se algumas experiências marcantes: a participação na histórica audiência pública da OAB/BA, intitulada A ação da Rondesp no Cabula: limites para o uso da força da polícia militar, que reuniu, vinte dias após a Chacina do Cabula, lideranças da comunidade negra soteropolitana, políticos, policiais e representantes de diversos órgãos do sistema de justiça baiano; a vivência da III Marcha Internacional Contra o Genocídio do Povo Negro, orquestrada pela campanha Reaja ou será Morto, Reaja ou será Morta, importante para não deixar que as mortes daquela chacina caíssem em esquecimento, ambas em Salvador, no ano de 2015; a experiência da Marcha que lembrou os 24 anos do Massacre do Carandiru, em 2016, na cidade de São Paulo; a participação na conferência internacional As Fronteiras Raciais do Genocídio, organizada pela Iniciativa Negra por Uma Nova Política sobre Drogas; e no workshop Sistema de Justiça e Racismo Institucional, gestado pela Criola, o Fórum Justiça e o Instituto Brasileiro de Ciências Criminais (IBCCRIM), ambos na cidade de São Paulo. Enfim, vale destacar a organização ativa junto ao Grupo de Pesquisas em Criminologia (GPCrim), na jornada de estudos criminológicos dedicada ao tema Criminologia e Racismo, contando com a participação de acadêmicos e lideranças comunitárias.

Outro fator que contribuiu para a construção da pesquisa foi a motivação política e acadêmica de tentar compreender uma das muitas faces que o extermínio da população negra – já denunciado nas narrativas de Lélia Gonzalez (1983), Abdias do Nascimento (1978), Sueli Carneiro (2005), Ana Flauzina (2006), Felipe Freitas (2016), Apoena Ferreira (2017) e de tantos outros e outras – manifesta. A escassez de estudos empíricos descritivos do funcionamento do sistema de justiça em casos de abordagens policiais que resultaram em morte serviu também de chamariz.

A escolha do tema e do objeto de pesquisa já constituíam um desafio em si, mas a opção de percorrer um caminho em que fossem valorizadas as "maneiras de pensar" dos sujeitos da pesquisa com os quais se fez contato, elevou o grau de dificuldade. Dito de outra maneira, eleger a perspectiva compreensiva como matriz epistemológica e metodológica implicou, necessariamente, em um reposicionamento da pesquisadora diante da realidade observável. A consequência imediata dessa última escolha foi calcular a imprescindível e sutil fissura entre a militante, identidade que a pesquisadora também abraça, que *"sabe a verdade, reage às opressões e quer mudar o mundo"*, por um lado; e, por outro, a pesquisadora que elabora perguntas a respeito dessa mesma realidade, busca caminhos para interagir com os sujeitos da pesquisa com a necessária empatia, para minerar dados e construir processos analíticos. De um ponto de vista prático, isso significou *"contar até dez"* quando um advogado de policial se recusou a conceder uma entrevista sob o argumento de que era *"contra esse povo que defende bandido e não liga pra vida do policial"*; ou quando uma funcionária do fórum, durante uma entrevista informal, repetia a pergunta ouvida reproduzindo ironicamente o sotaque que escutou; ou, ainda, daquela que decidiu emitir sua opinião a respeito dos cabelos da pesquisadora; das horas perdidas esperando um promotor que, em cima da hora combinada, desmarcou a entrevista; do juiz branco que na entrevista relatou que o policial réu não lhe parecia bandido porque *"era imberbe, parecia um menino"*; ou de quando estava, com certa ansiedade, diante do promotor que ficou conhecido nos bastidores como o "braço jurídico da *polícia que mata*" ou o "parceiro da PM". Entre muitos outros contáveis, esse último fato, possível pelas emoções silenciadas da pesquisadora, contribuiu emblematicamente para a organização dos resultados parciais da pesquisa em torno das incursões em sessões do tribunal do júri e as possíveis contribuições para a pesquisa empírica em direito.[70]

A escolha da vertente "pesquisa compreensiva" – numa identidade necessariamente múltipla e complexa – requereu ainda um trabalho árduo no momento da escrita/divulgação dos resultados. O objetivo era valorizar a resposta obtida à pergunta "como o Estado responsabiliza policiais que matam em serviço?". Isto implicou na rearticulação dos níveis de observação, isto é, a pesquisadora se volta a observar como a justiça observa a *polícia que mata*, através da investigação de muitos outros atores: delegado, perito, testemunha etc. Tratou-se, portanto, de produzir uma condição, reconhecida, de observadora.

Por fim, cabe frisar que o objetivo desse subitem foi menos o de cristalizar "um lugar de fala" e mais o de permitir que as/os leitoras/es notassem os "trânsitos" operados pela pesquisadora, e como eles contribuíram para (re)desenhar a pesquisa, processo que evidencia que o conhecimento produzido nesse percurso não é universal (ALCOFF, 2016). Esses trânsitos incluem, em tempo, a saída da periferia de Salvador, o ingresso numa universidade pública pelo sistema de cotas, a entrada no mestrado de uma instituição privada de São Paulo – com concessão de uma bolsa –, um estágio na Europa – com apoio de uma agência de fomento à pesquisa – e o sempre fundamental retorno à periferia de Salvador.

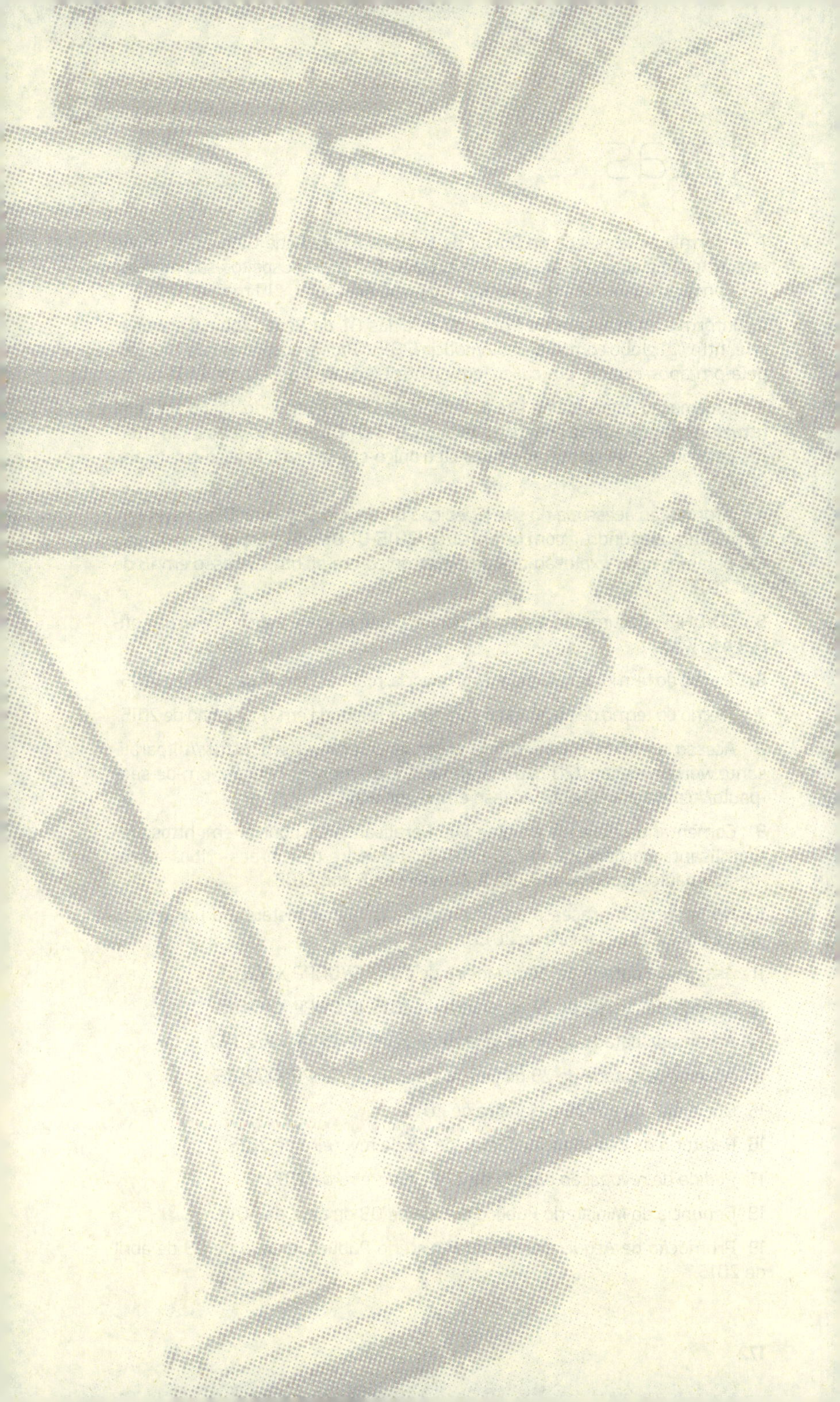

Notas

1 Informação acessada no Portal de Notícias G1, da Rede Globo. Disponível em: http://g1.globo.com/sao-paulo/noticia/2015/01/dois-suspeitos-sao-mortos-pela-pm-apos-explodirem-caixas-em-sp.html. Acesso em: 10 mar. 2017.

2 Informação acessada no Portal de Notícias G1, da Rede Globo. Disponível em: http://g1.globo.com/sao-paulo/noticia/2015/01/dois-suspeitos-sao-mortos-pela-pm-apos-explodirem-caixas-em-sp.html. Acesso em: 10 mar. 2017.

3 Informação acessada no site IG, edição do Último Segundo. Disponível em: http://ultimosegundo.ig.com.br/brasil/sp/2015-01-01/dois-suspeitos-sao-mortos-pela-pm-apos-explosao-de-caixa-eletronico-em-sp.html. Acesso em: 15 abr. 2017.

4 Informação acessada no site IG, edição do Último Segundo. Disponível em: http://ultimosegundo.ig.com.br/brasil/sp/2015-01-01/dois-suspeitos-sao-mortos-pela-pm-apos-explosao-de-caixa-eletronico-em-sp.html. Acesso em 15 de abr. 2017.

5 BO/DHPP, documento assinado por um delegado de polícia e por um oficial escrivão.

6 Trecho do termo de audiência de pronúncia, realizada em 17 de junho de 2015.

7 Trecho do termo de audiência de pronúncia, realizada em 17 de junho de 2015.

8 Acesso ao texto e comentário originais disponível em: https://flitparalisante.wordpress.com/2015/01/15/alexandre-de-moraes-critica-a-pm-de-sao-paulo/#comment-331822. Acesso em: 5 abr. 2018.

9 Comentário publicado no blog Flip Paralisante. Disponível em: https://flitparalisante.wordpress.com/2015/01/15/alexandre-de-moraes-critica-a-pm-de-sao-paulo/#comment-331822. Acesso em: 5 abr. 2018.

10 No âmbito do processo administrativo disciplinar instaurado por aquele órgão, no dia 21 de janeiro de 2015.

11 Assentada datada de 27 de janeiro de 2015, IP/DHPP XX/2015.

12 Assentada datada de 27 de janeiro de 2015, IP/DHPP XX/2015.

13 Assentada datada de 29 de janeiro de 2015, IP/DHPP XX/2015.

14 Assentada datada de 29 de janeiro de 2015, IP/DHPP XX/2015.

15 Ofício datado em 29 de janeiro de 2015.

16 Relatório de investigação datado de 25 de fevereiro de 2015.

17 Pedido de revogação datado de 27 de fevereiro de 2015.

18 Denúncia do Ministério Público datada de 09 de abril de 2015.

19 Promoção de Arquivamento do Ministério Público, datada de 09 de abril de 2015.

20 Promoção de Arquivamento do Ministério Público, datada de 09 de abril de 2015.

21 Promoção de Arquivamento do Ministério Público, datada de 09 de abril de 2015.

22 Decisão judicial. Publicada no Diário da Justiça Eletrônico, Caderno Judicial, 1ª Instância, São Paulo, Ano 8, Ed. 1.874, p. 1.679.

23 Termo de audiência.

24 Trecho da decisão do Conselho de Disciplina.

25 Mais informações sobre a Agência Pública disponíveis em: https://apublica.org/quem-somos/. Acesso em: 15 maio 2018.

26 DIP, Andréa/BARCELOS, Iuri. O advogado da PM que mata. Agência Pública, São Paulo, 15 maio 2017. Disponível em: https://apublica.org/2017/05/o-advogado-da-pm-que-mata/. Acesso em: 21 abr. 2021.

27 Decisão Judicial datada de 16 de outubro de 2019.

28 Sobre a divergência da "natureza jurídica" do homicídio doloso praticado por PM, Jorge Cesar de Assis (2012) defende que o referido tipo penal não perdeu o caráter de crime militar.

29 Conforme apontei em Ferreira (2020).

30 A Lei nº 13.964, de 24 de dezembro de 2019, proveniente do então conhecido "Pacote anticrime", alterou o art. 28 do CPP e passou a determinar que, se em vez da denúncia o Ministério Público entender que é caso de arquivamento do inquérito, pode ser ordenado "o arquivamento do inquérito policial ou de quaisquer elementos informativos da mesma natureza, o órgão do Ministério Público comunicará à vítima, ao investigado e à autoridade policial e encaminhará os autos para a instância de revisão ministerial para fins de homologação, na forma da lei.

§ 1º Se a vítima, ou seu representante legal, não concordar com o arquivamento do inquérito policial, poderá, no prazo de 30 (trinta) dias do recebimento da comunicação, submeter a matéria à revisão da instância competente do órgão ministerial, conforme dispuser a respectiva lei orgânica". (BRASIL, 2019, n.p.). Vale ressaltar que essa redação está suspensa em virtude do julgamento da medida cautelar na Ação Direta de Inconstitucionalidade nº 6.305, no Supremo Tribunal Federal, em 22 de janeiro de 2020. A redação anterior determinava que "se o órgão do Ministério Público, ao invés de apresentar a denúncia, requerer o arquivamento do inquérito policial ou de quaisquer peças de informação, o juiz, no caso de considerar improcedentes as razões invocadas, fará remessa do inquérito ou peças de informação ao procurador-geral, e este oferecerá a denúncia, designará outro órgão do Ministério Público para oferecê-la, ou insistirá no pedido de arquivamento, ao qual só então estará o juiz obrigado a atender." (BRASIL, 1941, n.p.). Com a decisão do STF, a redação antiga volta a produzir efeitos.

31 O PL 2.801, de 1992, de autoria da CPI do Extermínio de Crianças e Adolescentes, que antecedeu a referida Lei, afirmava em meio a justificativa para sua existência: "o julgamento de policiais militares envolvidos com o extermínio é

muitas vezes permeado pelo corporativismo, que gera verdadeiro sentimento de impunidade nos criminosos fardados." (CPI DO EXTERMÍNIO DE CRIANÇAS E ADOLESCENTES, 1992, p. 11.574).

32 Para um aprofundamento das tensões interinstitucionais entre polícia civil e polícia militar no tratamento de mortes praticadas por policiais, ver FERREIRA, (2020).

33 Previsão normativa nas Instruções do Processo Administrativo da Polícia Militar, Título II, instauradas pela Portaria nº PM1-011/04/13, do Comandante Geral da Polícia Militar, em 31 de julho de 2013.

34 Art. 11, § 4º das Instruções do Processo Administrativo da Polícia Militar de São Paulo.

35 Art. 71, inciso I, da Lei Complementar nº 893, de 09 de março de 2001.

36 Art. 125 das Instruções do Processo Administrativo da Polícia Militar de São Paulo.

37 Art. 71, inciso II, da Lei Complementar nº 893, de 09 de março de 2001.

38 Art. 126 das Instruções do Processo Administrativo da Polícia Militar de São Paulo.

39 Art. 71, inciso III, da Lei Complementar nº 893, de 09 de março de 2001.

40 Art. 127 das Instruções do Processo Administrativo da Polícia Militar de São Paulo.

41 Conforme determina o § 6º, do art. 37 da Constituição federal de 1988.

42 Para o estudo, o Instituto Sou da Paz construiu uma amostra representativa para compreensão da realidade paulistana, mediante a análise de 67 boletins de ocorrência com 68 vítimas fatais policiais, o que correspondeu a 64,2% dos casos contabilizados nas estatísticas oficiais, e 534 ocorrências de mortes decorrentes de intervenção policial com 614 vítimas fatais, ou seja, 83,8% dos casos registrados e tratados nas estatísticas (INSTITUTO SOU DA PAZ, 2017). Além disso, os pesquisadores sinalizam que BOs haviam sido solicitados por meio da Lei de Acesso à Informação à Secretaria da Segurança Pública do estado de São Paulo e os registros de mortes de policiais militares solicitados à Corregedoria da Polícia Militar do estado de São Paulo, no ano de 2015.

43 Resolução nº 08, de 21 de dezembro de 2012, da Secretaria de Direitos Humanos da Presidência da República.

44 O Decreto nº 7.037, da Presidência da República, promulgado em 21 de dezembro de 2009, que aprovou o Programa Nacional de Direitos Humanos – PNDH-3, que almejava a elaboração de projeto de lei para aperfeiçoamento da legislação processual penal, tendo em vista a padronização dos procedimentos da investigação de ações policiais com resultado letal.

45 Lei nº 12.527, de 18 de novembro de 2011, que regula o acesso a informações previsto no inciso XXXIII do art. 5º; no inciso II do § 3º do art. 37 e no § 2º do art. 216 da Constituição federal; altera a Lei nº 8.112, de 11 de dezembro de

1990; revoga a Lei nº 11.111, de 5 de maio de 2005, e dispositivos da Lei nº 8.159, de 8 de janeiro de 1991; e dá outras providências.

46 Esse item se beneficiou das discussões realizadas em torno do trabalho intitulado "Processos de policiais militares em casos de homicídios dolosos e racismo institucional: uma relação possível", apresentado no GT Segurança Pública, Gênero e Relações Raciais do I Congresso de Pesquisa em Ciências Criminais, e no V Encontro Nacional de Antropologia do Direito, que ocorreram em agosto de 2017, na cidade de São Paulo.

47 Fala de advogado durante sessão de júri etnografada no dia 4 de abril de 2017, das 13h50 às 19h44, no Fórum Min. Mário Guimarães, São Paulo-SP.

48 No texto original: "Art. 5º – Todos são iguais perante a lei, sem distinção de qualquer natureza, garantindo-se aos brasileiros e aos estrangeiros residentes no País a inviolabilidade do direito à vida, à liberdade, à igualdade, à segurança e à propriedade, nos termos seguintes: (...) XLV – nenhuma pena passará da pessoa do condenado, podendo a obrigação de reparar o dano e a decretação do perdimento de bens ser, nos termos da lei, estendidas aos sucessores e contra eles executadas, até o limite do valor do patrimônio transferido." (BRASIL, 1988, n.p.).

49 Trecho da promoção de arquivamento datada de 9 de abril de 2015.

50 Trecho da decisão datada de 15 de abril de 2015.

51 Orlando Zaccone (2015) se dedicou ao estudo de mais de trezentos inquéritos de "autos de resistência", no período de 2003 a 2009, arquivados a pedido do Ministério Público pela Justiça do Rio de Janeiro. Segundo ele, fica evidente que o arquivamento de inquéritos dessa natureza pode gerar decisões desconectadas dos fatos: "como toda máquina burocrática, o arquivamento dos autos de resistência revela certo descaso dos operadores jurídicos. Tal desinteresse na investigação gera situações-limite, em que o próprio direito é o princípio de autoridade a decidir pelo arquivamento, por vezes abstraindo completamente qualquer relação com o fato ou mesmo contrariando as evidências e gerando decisões conflitantes no âmbito do poder judiciário" (ZACCONE, 2015, p. 148).

52 Art. 28 do Código de Processo Penal: "Ordenado o arquivamento do inquérito policial ou de quaisquer elementos informativos da mesma natureza, o órgão do Ministério Público comunicará à vítima, ao investigado e à autoridade policial e encaminhará os autos para a instância de revisão ministerial para fins de homologação, na forma da lei. § 1º Se a vítima, ou seu representante legal, não concordar com o arquivamento do inquérito policial, poderá, no prazo de 30 (trinta) dias do recebimento da comunicação, submeter a matéria à revisão da instância competente do órgão ministerial, conforme dispuser a respectiva lei orgânica. § 2º Nas ações penais relativas a crimes praticados em detrimento da União, Estados e Municípios, a revisão do arquivamento do inquérito policial poderá ser provocada pela chefia do órgão a quem couber a sua representação judicial." (BRASIL, 1941, n.p.).

53 Nesse mesmo sentido está o Projeto de Lei nº 882/2019 apresentado à Câmara de Deputados pelo então Ministro da Justiça e Segurança Pública, Sérgio

Moro, que previa um abrandamento ainda maior do tratamento de policiais que matam em serviço, ao permitir que "o juiz poderá reduzir a pena até a metade ou deixar de aplicá-la se o excesso decorrer de escusável medo, surpresa ou violenta emoção" (BRASIL, 2019b, n.p.), sob ordem do Poder Executivo, na chefia de Jair Bolsonaro. Trecho não aprovado pela Câmara na tramitação do PL.

54 Art. 593, III, d, do Código de Processo Penal

55 Trecho extraído de documento intitulado "Relatório Final", datado de 8 de abril de 2015.

56 Trecho extraído de documento intitulado "Relatório Final", datado de 8 de abril de 2015.

57 Trecho extraído de documento intitulado "Relatório Final", datado de 8 de abril de 2015.

58 Trecho extraído de documento intitulado "Promoção de arquivamento", datado de 9 de abril de 2015.

59 Trecho extraído de documento intitulado "Decisão", datado de 15 de abril de 2015.

60 Termo sugerido pela professora Marta Machado na ocasião da banca de qualificação, em outubro de 2018.

61 Lei Complementar nº 893, de 09 de março de 2001, a qual institui o Regulamento Disciplinar da Polícia Militar, e na I-16-PM – Instrução do Processo Administrativo da Polícia Militar, publicada em julho de 2013.

62 Fala do promotor de justiça em sessão de julgamento perante o tribunal do júri. Sessão de júri etnografada no dia 18 de maio de 2017, das 13h40 às 20h25, no Fórum Min. Mário Guimarães, São Paulo-SP.

63 Fala de réu registrada em sessão de júri etnografada no dia 18 de maio de 2017, das 13h40 às 20h25, no Fórum Min. Mário Guimarães, São Paulo-SP.

64 Fala de promotor de justiça registrada em sessão de júri etnografada no dia 18 de maio de 2017, das 13h40 às 20h25, no Fórum Min. Mário Guimarães, São Paulo-SP.

65 Parte desses esforços me permitiram dialogar com a literatura jurídica e sociológica sobre as barreiras à produção de conhecimento a respeito da relação entre a letalidade policial e o sistema de justiça. Como resultado dessa reflexão, publiquei dois textos: "Como abrir a caixa de pandora?: estratégias metodológicas para o estudo da *polícia que mata*" e "Direitos fundamentais e letalidade policial: sentidos opostos numa mesma trilha", ambos em 2019.

66 Vertente da criminologia desenvolvida na Escola de Louvain, Bélgica, que se preocupa em olhar para a gestão das diferentes agências que lidam com o controle social relativos ao crime e à pena. Essa etapa foi realizada por meio de estágio de pesquisa no exterior, na *Université Catholique de Louvain*, Bélgica, financiado pela Fundação de Amparo à Pesquisa do Estado de São Paulo, entre 01/02/18 e 30/04/18, Processo nº 2017/22051-7.

67 Outras reflexões a respeito do emprego dessa técnica, nesse tipo de abordagem de pesquisa, foram publicados pela autora no texto "Olhar, ouvir e

escrever nos júris de policiais militares de São Paulo", na *Revista de Estudos Empíricos em Direito*, em 2018.

68 Quanto a esse ponto, entende-se que a forma como pesquisadoras e pesquisadores percebem e reagem a práticas discriminatórias e opressivas no decorrer da (e em relação a) pesquisa deve ser explicitada, mas não pode se sobrepor ou inviabilizar a explicitação dos objetivos e resultados da pesquisa. Sobre os limites e potencialidades dos "lugares de observação", ver: FERREIRA (2021).

69 Ouvidora-geral da Defensoria Pública do Estado da Bahia em entrevista ao Brasil de Fato, datada de 24 de abril de 2018.

70 Remeto as leitoras e os leitores ao texto "Olhar, ouvir e escrever nos júris de policiais militares de São Paulo", publicado na *Revista de Estudos Empíricos em Direito*, em 2018.

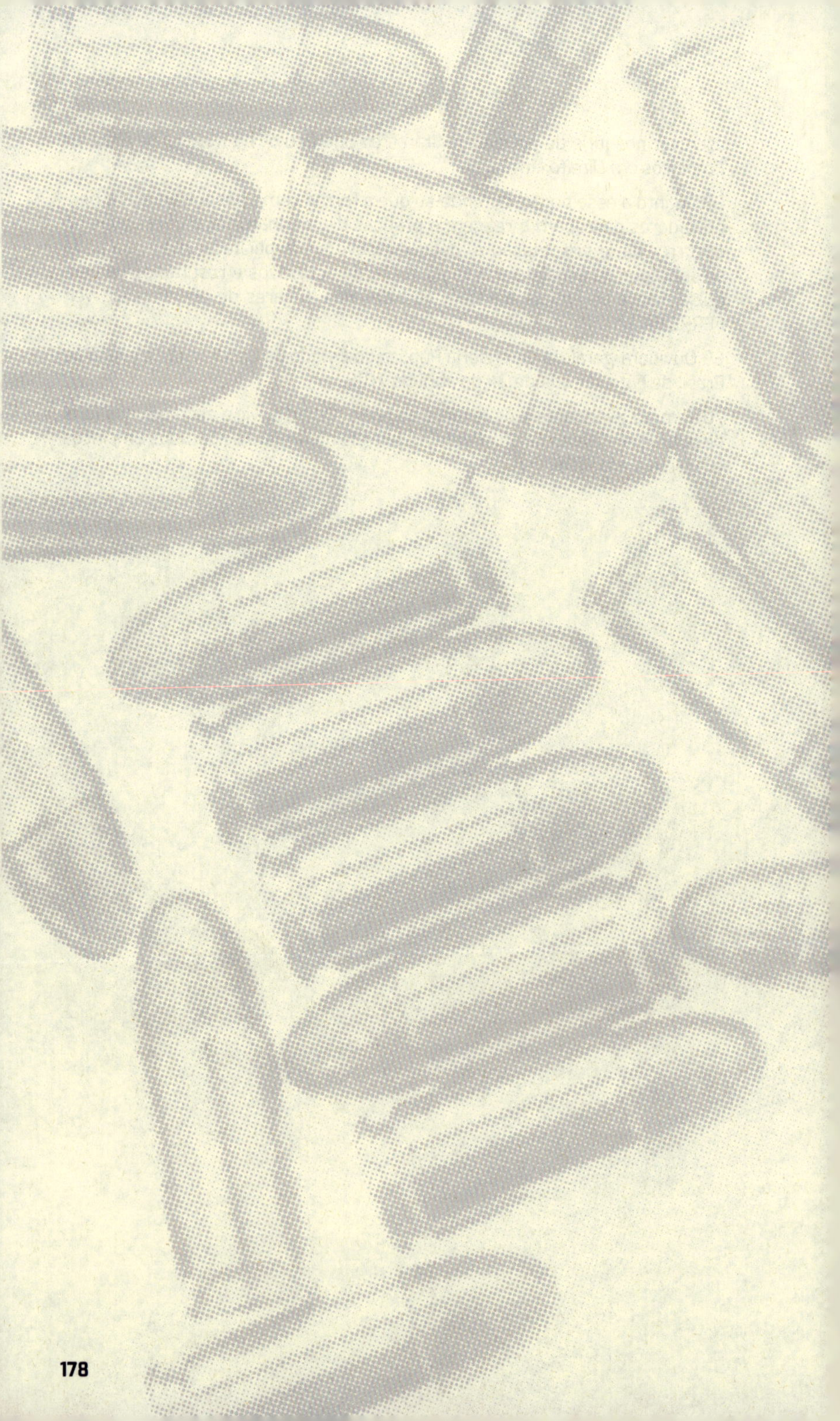

Referências

ALCOFF, Linda. Uma epistemologia para a próxima revolução. **Revista Sociedade e Estado,** v. 31, n. 1, p. 129-143, jan./abr., 2016.

ALEXANDRINO, Marcelo; PAULO, Vicente. **Direito administrativo descomplicado.** São Paulo: Método, 2018.

AMPARO-ALVES, Jaime. Topografias da violência: necropoder e governamentalidade espacial em São Paulo. **Revista do Departamento de Geografia,** São Paulo, v. 22, p. 108-134, 2011.

ASSIS, Jorge César de. **Direito militar** – aspectos penais, processuais penais e administrativos. Curitiba: Editora Juruá, 2012.

AYERBE, Cécile; MISSONIER, Audrey. Validité interne et validité externe de l'étude de cas: principes et mise en œuvre pour un renforcement mutuel. **Finance Contrôle Stratégie,** v. 10, n. 2, p. 37-62, juin 2007.

AZEVEDO, Rodrigo Ghiringhelli de; NASCIMENTO, Andréa Ana do. Desafios da reforma das polícias no Brasil: permanência autoritária e perspectivas de mudança. **Civitas,** Porto Alegre, v. 16, n. 4, p. 653-674, out./dez. 2016.

BARCHET, Gustavo. **Direito administrativo.** Rio de Janeiro: Elsevier. 2011.

BARROS, Geová da Silva. Filtragem racial: a cor na seleção do suspeito. **Revista Brasileira de Segurança Pública,** São Paulo, v.2, n. 3, p.134-155, 2008.

BECKER, Howard S. **Segredos e truques da pesquisa.** Rio de Janeiro: Jorge Zahar, 2008.

BITTNER, Egon. **Aspectos do trabalho policial.** Trad. Ana Luísa Amêndola Pinheiro. São Paulo: Editora da Universidade de São Paulo, 2003.

BONILLA-SILVA, Eduardo. The strange enigma of race in contemporary America. *In:* BONILLA-SILVA, Eduardo. **Racism without racists:** color-blind racism and the persistence of racial inequality in the United States. Maryland: Rowman & Littlefield Publishers, 2006.

BONILLA-SILVA, Eduardo. What is racism? The racialized social system framework. **White supremacy and racism in the post-civil rights era,** Lynne Rienner Publishers, 2001. p. 21-58.

BRASIL. **Constituição da República Federativa do Brasil (1988), de 5 de outubro de 1988.** Brasília, DF: Presidência da República, 1988. Disponível em: http://www.planalto.gov.br/ccivil_03/constituicao/constituicao.htm. Acesso em: 15 dez. 2017.

BRASIL. Conselho Nacional do Ministério Público. Resolução nº 129, de 22 de setembro de 2015. Estabelece regras mínimas de atuação do Ministério Público no controle externo da investigação de morte decorrente de intervenção policial. **Diário Oficial da União,** seção 1, 14 out. 2015. Disponível em: http://www.cnmp.mp.br/portal/component/normas/norma/3514. Acesso em: 15 nov. 2016.

BRASIL. **Código civil.** São Paulo: Saraiva, 2016.

BRASIL. Decreto-lei nº 3.689, de 3 de outubro de 1941. Código de Processo Penal. Brasília, DF: Presidência da República, 1941. Disponível em: http://www.planalto.gov.br/ccivil_03/decreto-lei/Del3689.htm. Acesso em: 22 dez. 2017.

BRASIL. Decreto-lei nº 1.001, de 21 de outubro de 1969. Código Penal Militar. Brasília, DF: Presidência da República, 1969a. Disponível em: http://www.planalto.gov.br/ccivil_03/decreto-lei/Del1001.htm. Acesso em: 22 dez. 2017.

BRASIL. Decreto-lei nº 1.002, de 21 de outubro de 1969. Código de Processo Penal Militar. Brasília, DF: Presidência da República, 1969b. Disponível em: http://www.planalto.gov.br/ccivil_03/decreto-lei/Del1002.htm. Acesso em: 22 dez. 2017.

BRASIL. Decreto-lei nº 2.848, de 7 de dezembro de 1940. Código Penal. Brasília, DF: Presidência da República, 1940. Disponível em: http://www.planalto.gov.br/ccivil_03/decreto-lei/Del2848compilado.htm. Acesso em: 22 dez. 2017.

BRASIL. Decreto nº 7.037, de 21 de dezembro de 2009. Aprova o Programa Nacional de Direitos Humanos – PNDH-3 e dá outras providências. Brasília, DF: Presidência da República, 2009. Disponível em: http://www.planalto.gov.br/ccivil_03/_ato2007-2010/2009/decreto/d7037.htm. Acesso em: 22 dez. 2017.

BRASIL. Ministério da Justiça; Secretaria de Direitos Humanos da Presidência da República. Portaria interministerial nº 4.226, de 31 de dezembro de 2010. Estabelece diretrizes sobre o uso da força pelos agentes de segurança pública. Brasília, DF: Presidência da República, 2011. Disponível em: https://www.conjur.com.br/dl/integra-portaria-ministerial.pdf. Acesso em: 10 out. 2017.

BRASIL. Secretaria de Direitos Humanos da Presidência da República. Resolução nº 08, de 21 de dezembro de 2012. Dispõe sobre a abolição de designações genéricas, como "autos de resistência", "resistência seguida de morte", em registros policiais, boletins de ocorrência, inquéritos policiais e notícias de crime. Brasília, DF: Presidência da República, 2012. Disponível em: http://www.sdh.gov.br/sobre/participacao-social/cndh/resolucoes/2012/resolucao-08-auto-de-resistencia. Acesso em: 30 out. 2017.

BRASIL. Conselho Superior de Polícia; Conselho Nacional dos Chefes de Polícia Civil. Resolução conjunta nº 2, de 13 de outubro de 2015. Dispõe sobre os procedimentos internos a serem adotados pelas polícias judiciárias em face de ocorrências em que haja resultado lesão corporal ou morte decorrentes de oposição à intervenção policial. Brasília, DF: Presidência da República, 2015. Disponível em: http://www.lex.com.br/legis_27046240_RESOLUCAO_CONJUNTA_N_2_DE_13_DE_OUTUBRO_DE_2015.aspx. Acesso em: 30 out. 2017.

BRASIL. Lei nº 7.347, de 24 de julho de 1985. Disciplina a ação civil pública de responsabilidade por danos causados ao meio-ambiente, ao consumidor, a bens e direitos de valor artístico, estético, histórico, turístico e paisagístico (VETADO) e dá outras providências. Brasília, DF: Presidência da República, 2017. Disponível em: http://www.planalto.gov.br/ccivil_03/leis/l7347orig.htm. Acesso em: 29 jun. 2021.

BRASIL. Lei nº 8.112, de 11 de dezembro de 1990. Dispõe sobre o regime jurídico dos servidores públicos civis da União, das autarquias e das fundações públicas federais. Brasília, DF: Presidência da República, 1990. Disponível em: http://www.planalto.gov.br/ccivil_03/leis/l8112cons.htm. Acesso em: 29 jun. 2021.

BRASIL. Lei nº 12.830, de 20 de junho de 2013. Dispõe sobre a investigação criminal conduzida pelo delegado de polícia. Brasília, DF: Presidência da República, 2013. Disponível em: http://www.planalto.gov.br/ccivil_03/_ato2011-2014/2013/lei/l12830.htm. Acesso em: 30 out. 2017.

BRASIL. Lei nº 12.527, de 18 de novembro de 2011. Regula o acesso a informações previsto no inciso XXXIII do art. 5o, no inciso II do § 3o do art. 37 e no § 2o do art. 216 da Constituição federal; altera a Lei nº 8.112, de 11 de dezembro de 1990; revoga a Lei nº 11.111, de 5 de maio de 2005, e dispositivos da Lei nº 8.159, de 8 de janeiro de 1991; e dá outras providências. Brasília, DF: Presidência da República, 2011. Disponível em: http://www.planalto.gov.br/ccivil_03/_ato2011-2014/2011/lei/l12527.htm. Acesso em: 10 nov. 2017.

BRASIL. Supremo Tribunal Federal. Tribunal Pleno. Julgamento Ação Direta de Inconstitucionalidade nº 1494-3. Distrito Federal. 09 de abril de 1997. Disponível em: http://redir.stf.jus.br/paginadorpub/paginador.jsp?docTP=AC&docID=347091. Acesso em: 13 jun. 2017.

BUENO, Samira. Letalidade policial. In: LIMA, Renato Sérgio de; RATTON, José Luiz; AZEVEDO, Rodrigo Ghiringhelli de. (orgs.). **Crime, polícia e justiça no Brasil.** São Paulo: Editora Contexto, 2014.

BUENO, Samira; CERQUEIRA, Daniel; LIMA, Renato Sérgio de. Sob fogo cruzado II: letalidade da ação policial. In.: FÓRUM BRASILEIRO DE SEGURANÇA PÚBLICA, 7., 2013, São Paulo. **Anais** [...]. Ano 7. São Paulo: Fórum Brasileiro de Segurança pública, 2013.

BUENO, Samira. **Bandido bom é bandido morto:** a opção ideológico-institucional da política de segurança pública na manutenção de padrões de atuação violentos da polícia militar paulista. 2015. 145 f. Dissertação (Mestrado em Administração Pública e Governo) – Escola de Administração de Empresas de São Paulo, Fundação Getúlio Vargas, São Paulo, 2014.

BUENO, Samira; LIMA, Renato Sérgio de. A opaca estética da indiferença: letalidade policial e politicas publicas de segurança. In. UNIVERSIDADE DE SÃO PAULO. Núcleo de Estudos da Violência. **5º Relatório Nacional sobre os Direitos Humanos no Brasil.** São Paulo: NEV/USP, 2012, p. 104-111.

CANO, Ignácio; DUARTE, Thaís. Letalidade policial. In: FÓRUM BRASILEIRO DE SEGURANÇA PÚBLICA. **Anais** [...]. São Paulo: Fórum Brasileiro de Segurança Pública, 2007. p. 106-109.

CANO, Ignacio. **Letalidade da ação policial no Rio de Janeiro.** Rio de Janeiro: ISER, Mimeo, 1997.

CAPPI, Riccardo. Pensando as respostas estatais às condutas criminalizadas: um estudo empírico dos debates parlamentares sobre a redução da maioridade penal (1993-2010). **Brazilian Journal of Empirical Legal Studies,** On-line, v. 1, n. 1, p. 10-27, 2014.

CAPPI, Ricardo. **A maioridade penal nos debates parlamentares:** motivos do controle e figuras do perigo. Trad. Ana Cristina Arantes Nasser. Belo Horizonte: Letramentos, Casa do Direito, 2017.

CARAMANTE, André. (org.). **Mães em luta:** dez anos dos crimes de maio de 2006. São Paulo: Ponte Jornalismo, 2016.

CARNEIRO, Aparecida Sueli. **A construção do outro como não-ser como fundamento do ser.** 2005. 339 f. (Doutorado em Educação) – Programa de Pós-graduação em Educação, Universidade de São Paulo, São Paulo, 2005.

CERQUEIRA, Daniel; LIMA, Renato Sergio de; BUENO, Samira; VALENCIA, Luis Iván; HANASHIRO, Olaya; MACHADO, Pedro Henrique G.; LIMA, Adriana dos Santos. **Atlas da violência 2017.** São Paulo: Ipea: FBSP, 2018.

CHEW, Pat K.; KELLEY, Robert E. Myth of the color-blind judge: an empirical analysis of racial harassment cases. **Wash. UL Rev.,** Washington, v. 86, n. 5, p. 1117-1166, 2008.

COMISSÃO PARLAMENTAR DE INQUÉRITO DESTINADA A INVESTIGAR O EXTERMÍNIO DE CRIANÇAS E ADOLESCENTES. Relatório final. *In:* CÂMARA DOS DEPUTADOS. **Diário do Congresso Nacional,** Brasília, DF, ano 47, Suplemento B ao DCN n. 69, 19 maio 1992.

COSTA, Arthur T. M. Como as democracias controlam as polícias. **Novos Estudos.** n. 70, p. 65-77, nov. 2004.

COSTA, Arthur T.; LIMA, Renato Sérgio de. Segurança Pública. *In:* LIMA, Renato Sérgio de; RATTON, José Luiz; AZEVEDO, Rodrigo Ghiringhelli de (orgs.). **Crime, polícia e justiça no Brasil.** São Paulo: Editora Contexto, 2014.

CUNHA, José Ricardo; BORGES, Nadine. Direitos humanos, (não)realização do Estado de direito e o problema da exclusão. *In.:* CUNHA, José Ricardo (org.). **Direitos humanos, poder judiciário e sociedade.** Rio de Janeiro: Editora FGV, 2011.

DAMMERT, Lucía. Reforma policial en América Latina. **Revista de pensamiento iberoamericano,** n. 12, p. 53-64, 2005.

EPSTEIN, Lee; KING, Gary. **Pesquisa empírica em direito:** as regras de inferência. São Paulo: Direito GV, 2013.

FARIAS, Juliana. Quando a exceção vira regra: os favelados como população "matável" e sua luta por sobrevivência. **Teoria & sociedade,** Belo Horizonte, v.15, n. 2, p. 138-171, 2008.

FERREIRA, Apoena da Silva. **A violência urbana nas áreas de precariedade urbana de Salvador. 2017**. 61 f. Trabalho de Conclusão de Curso (Bacharelado em Urbanismo). Departamento de Ciências da Terra, Universidade do Estado da Bahia, Salvador, 2017.

FERREIRA, Carolina Costa. Processo legislativo e política criminal: a aprovação da Lei nº 9.299/96, entre discursos e silêncios. *In:* MACHADO, Maíra Rocha; MACHADO, Marta Rodriguez de Assis (coord.). **Carandiru não é coisa do passado** [recurso eletrônico]: um balanço sobre os processos, as instituições e as narrativas 23 anos após o massacre. São Paulo: FGV Direito SP, 2015. 552 p.

FERREIRA, Luisa M. A.; MACHADO, Marta R. de A.; MACHADO, Maíra Rocha. Massacre do Carandiru: vinte anos sem responsabilização. **Novos Estudos** – CEBRAP, On-line, n. 94, p. 5-29, 2012. ISSN 0101-3300. Disponível em: http://www.scielo.br/scielo.php?script=sci_arttext&pid=S0101-33002012000300001&lng=en&nrm=iso. Acesso em: 28 mar. 2016. ISSN 0101-3300.

FERREIRA, Poliana da Silva. Uma leitura da produção de estatísticas de homicídios em Salvador. **Revista de Estudos Empíricos em Direito,** São Paulo, v. 4, n. 1, p. 94-113, fev. 2017.

FERREIRA, Poliana da Silva. A inércia judicial como governança: o tratamento dos homicídios dolosos praticados por policiais na justiça de São Paulo. *In:* SOCIOLOGY OF LAW, 2017, Canoas, RS. **Anais** [...] Canoas: Unilasalle, 2017. p. 523-533.

FERREIRA, Poliana da Silva. Processos de policiais militares em casos de homicídios dolosos e racismo institucional: uma relação possível. *In:* CONGRESSO DE PESQUISA EM CIÊNCIAS CRIMINAIS, 1 2017, São Paulo. **Anais** [...]. São Paulo: IBCCRIM, 2017. v. 1. p. 1514-1536.

FERREIRA, Poliana da Silva. Como abrir a caixa de pandora? estratégias metodológicas para o estudo da polícia que mata. **Revista de Estudos Empíricos em Direito,** v. 6, n. 1, p. 21-43, maio 2019.

FERREIRA, Poliana da Silva. Olhar, ouvir e escrever nos júris de policiais militares de São Paulo. **Revista de Estudos Empíricos em Direito,** v. 5, n. 3, p. 158-166. dez. 2018.

FERREIRA, Poliana da Silva. **A responsabilização da polícia que mata:** um estudo de caso sobre o tratamento jurídico das abordagens policiais com resultado morte. 2019. 2012 f. Dissertação (Mestrado em Direito) – Escola de Direito de São Paulo, Fundação Getúlio Vargas, São Paulo, 2019.

FERREIRA, Poliana da Silva. Letalidade policial na pandemia: o papel do sistema de justiça na contenção de um antigo vírus. **Boletim IBCCRIM.** No prelo.

FERREIRA, Poliana da Silva. Entre os quatro poderes: quadros normativos, conflitos institucionais e outros obstáculos à responsabilização da polícia que mata. In. MACHADO, Maira. "Harmônicos entre si"? sobre a interação entre os poderes na Justiça Criminal. São Paulo: Acadêmica Livre, 2020.

FERREIRA, Poliana da Silva. Entre o indissociável e o inacessível: o que nos ensinam os estudos sobre justiça criminal e desigualdade racial? **Revista Brasileira de Ciências Criminais,** São Paulo, n. 181, 2021

FLAUZINA, Ana Luiza Pinheiro. **Corpo negro caído no chão:** o sistema penal e o projeto genocida do Estado brasileiro. 2006. 145 f. Dissertação (Mestrado em Direito) – Universidade de Brasília, Brasília, 2006.

FONTOURA, Natalia de Oliveira; RIVERO, Patrícia Silveira; RODRIGUES, Rute Imanishi. Segurança pública na Constituição federal de 1998: continuidades e perspectivas. *In:* BRASIL. Secretaria de Assuntos Estratégicos da Presidência da República. Instituto de Pesquisa Econômica Aplicada. **Políticas Sociais:** acompanhamento e análise. Brasília: IPEA, v. 3, [2008], p. 135-196.

FÓRUM BRASILEIRO DE SEGURANÇA PÚBLICA, 7., 2013, São Paulo. A**nuário Brasileiro de Segurança Pública.** São Paulo: Fórum Brasileiro de Segurança Pública, Ano 7, 2013.

FÓRUM BRASILEIRO DE SEGURANÇA PÚBLICA, 8., 2014, São Paulo. **Anuário Brasileiro de Segurança Pública.** São Paulo: Fórum Brasileiro de Segurança Pública, Ano 8, 2014.

FÓRUM BRASILEIRO DE SEGURANÇA PÚBLICA, 9., 2015, São Paulo. **Anuário Brasileiro de Segurança Pública.** São Paulo: Fórum Brasileiro de Segurança Pública, Ano 9, 2015.

FÓRUM BRASILEIRO DE SEGURANÇA PÚBLICA, 10., 2016, São Paulo. **Anuário Brasileiro de Segurança Pública.** São Paulo: Fórum Brasileiro de Segurança Pública, Ano 10, 2016.

FÓRUM BRASILEIRO DE SEGURANÇA PÚBLICA, 11., 2017, São Paulo. **Anuário de Segurança Pública.** São Paulo: Fórum Brasileiro de Segurança Pública, Ano 11, 2017.

FÓRUM BRASILEIRO DE SEGURANÇA PÚBLICA, 12., 2018, São Paulo. **Anuário de Segurança Pública.** São Paulo: Fórum Brasileiro de Segurança Pública, Ano 12, 2018.

FREITAS, Felipe da Silva. Novas perguntas para criminologia brasileira: poder, racismo e direito no centro da roda. **Cadernos do CEAS: Revista crítica de humanidades,** Salvador, n. 238, p. 488-499, dez. 2016. ISSN 2447-861X. DOI: 10.25247/2447-861X.2016.n238.p488-499. Disponível em: https://cadernosdoceas.ucsal.br/index.php/cadernosdoceas/article/view/252. Acesso em: 02 mar. 2019.

FUNDAÇÃO GETULIO VARGAS. ESCOLA DE DIREITO DE SÃO PAULO. O homicídio em três cidades brasileiras. *In:* FIGUEIREDO, Isabel Seixas de; NEME, Cristina; LIMA, Cristiane do Socorro Loureiro (org.). **Homicídios no Brasil:** registro e fluxo de informações. Brasília, DF: Ministério da Justiça, v. 1, 2013. p. 9-72. (Coleção Pensando a Segurança Pública).

GONÇALVES, Carlos Roberto. **Curso de Direito Civil Brasileiro.** Responsabilidade Civil. 7. ed., São Paulo: Editora Saraiva, 2012, v.4,

GONZALEZ, Lélia. Racismo e sexismo na cultura brasileira. *In:* SILVA, Luiz Antonio. **Movimentos sociais urbanos, minorias étnicas e outros estudos.** Brasília, DF: ANPOCS, 1983.

GÜNTHER, Klaus. Somente em uma sociedade humana todo ato tem seu autor. *In:* MACHADO, Marta Rodriguez de Assis; PÜSCHEL, Flavia Portella (org.). **Responsabilidade e pena no Estado democrático de direito.** São Paulo: FGV Direito SP, 2016, p. 15-36.

GUIMARÃES, Antonio Sérgio Alfredo. Como trabalhar com "raça" em sociologia. **Educação e Pesquisa,** São Paulo, v. 29, n. 1, p. 93-107, 2003.

HASENBALG, Carlos. **Discriminação e desigualdades raciais no Brasil.** Belo Horizonte: Editora UFMG, 2005.

HOOKS, Bell. **Yearning:** race, gender, and cultural politics. London: Routledge, 2014.

IGREJA, Rebecca Lemos. O Direito como objeto de estudo empírico: o uso de métodos qualitativos no âmbito da pesquisa empírica em Direito. *In:* MACHADO, Maira Rocha (org.). **Pesquisar empiricamente o direito.** São Paulo: Rede de Estudos Empíricos em Direito, 2017. cap. 1, p. 11-38.

INSTITUTO SOU DA PAZ. Linha de frente: vitimização e letalidade policial na cidade de São Paulo. **Sou da Paz,** Relatório anual 2017, São Paulo, 2 mar. 2018.

KAMINSKI, Dan. **Condamner:** une analyse des pratiques pénales. Toulouse: Editions Érès, 2015.

KAMINSKI, Dan. **Pénalité, management, innovation.** Namur: Presses universitaires de Namur, 2010.

KAMINSKI, Dan. **Le modèle d'analyse.** 2017. Méthodologie qualitative de la criminologie. Ecole de Criminologie de l' Université Catholique de Louvain, LCRIM2101. Louvain-la-Neuve, 2018.

LEPLAT, Jacques. De l'étude de cas à l'analyse de l'activité. **Pistes: Perspectives interdisciplinaires sur le travail et la santé,** En ligne, v. 4, n. 2, p. 1-33, 2002.

LIMA, Laura Gonçalves de. **Crimes de maio:** estigmas e memórias da democracia das chacinas. 2016. Dissertação (Mestrado em Ciências Sociais) – Universidade de Brasília, Brasília, DF, 2016.

LIMA, Renato Sérgio de; BUENO, Samira; MINGARDI, Guaracy. Estado, polícias e segurança pública no Brasil. **Rev. Direito GV. São Paulo,** v. 12, n. 1, p. 49-85, jan./abr. 2016.

LIMA, Renato Sérgio de; SINHORETTO, Jacqueline; BUENO, Samira. A gestão da vida e da segurança pública no Brasil. **Revista Sociedade e Estado,** Brasília, DF, v. 30, n.1, p. 123-144, jan./abr. 2015.

LIMA, Márcia. "Raça" e pobreza em contextos metropolitanos. **Tempo Social,** São Paulo, v. 24, n. 2, p. 233-254, 2012.

LOCHE, Adriana. A letalidade de ação policial: parâmetros para análise. **Tomo – Revista do Núcleo de Pós-Graduação e Pesquisa em Ciências Sociais,** São Cristóvão, SE, n. 17, jul./dez. 2010.

MACHADO, Maíra Rocha; MACHADO, Marta (orgs.). **Carandiru (não) é coisa do passado:** um balanço sobre os processos, as instituições e as narrativas 23 anos após o Massacre. São Paulo: FGV Direito SP, 2015.

MACHADO, Maíra Rocha; MACHADO, Marta Rodriguez de Assis. O Direito Penal é capaz de conter a violência? *In:* RODRIGUEZ, José Rodrigo; SILVA, Felipe Gonçalves. **Manual de Sociologia Jurídica.** São Paulo: Saraiva, 2013. p. 327-349.

MACHADO, Maíra Rocha. Contra a departamentalização do saber jurídico: a contribuição dos estudos de caso para o campo direito e desenvolvimento. *In:* SILVEIRA, Vladmir Oliveira da; SANCHES, Samyra Naspolini; COUTO, Monica Benetti. **Direito e Desenvolvimento no Século XXI.** Brasília: Ipea, CONPEDI, 2013. cap. 8, p. 177-200.

MACHADO, Maíra Rocha. O estudo de caso na pesquisa em direito. *In:* MACHADO, Maíra Rocha (org.). **Pesquisar empiricamente o direito.** São Paulo: Rede de Estudos Empíricos em Direito, 2017, cap. 11, p. 357-390.

MACHADO, Marta Rodriguez de Assis *et al.* As provas, os jurados e o tribunal: a anulação dos veredictos diante da soberania do júri. **Revista Brasileira de Ciências Criminais,** São Paulo, v. 28, n. 164, p. 91-132. fev. 2020.

MARGIOTTA, Costanza. Race as a category of legal analysis: scrutinizing Italian case law. **Darkmatter Journal,** v. 6, n. esp., p.1-8, oct. 2010.

MINISTÉRIO PÚBLICO FEDERAL. Procuradoria-Geral da República. **Incidente de Deslocamento de Competência n. 10.** Rodrigo Janot Monteiro de Barros, em 13/09/2017.

MISSE, Michel (coord.). **"Autos de resistência":** uma análise dos homicídios cometidos por policiais na cidade do Rio de Janeiro (2001-2011). Núcleo de Estudos da Cidadania, Conflito e Violência Urbana Universidade Federal do Rio de Janeiro. Rio de Janeiro: NECVU/UFRJ, 2011.

MISSE, Michel; GRILLO, Carolina Christoph; TEIXEIRA, César Pinheiro; NERI, Natasha Elbas. **Quando a polícia mata:** homicídios por "autos de resistência" no Rio de Janeiro (2001-2011). Rio de Janeiro: Booklink, 2013.

MONJARDET, Dominique. **Ce que fait la police:** sociologie de la force publique. Paris: La découverte, 1996.

MONJARDET, Dominique; CHAUVENET, Antoinette; OCQUETEAU, Frédéric. **Notes inédites sur les choses policières,** 1999-2006. Paris: La Découverte, 2008.

MÖSCHEL, Mathias. **Law, lawyers and race:** critical race theory from the US to Europe. Abingdon: Routledge, 2014.

NASCIMENTO, Abdias. **O genocídio do negro brasileiro:** processo de um racismo mascarado. Rio de Janeiro: Editora Paz e Terra, 1978.

NEME, Cristina. **A instituição policial na ordem democrática:** o caso da Polícia Militar do Estado de São Paulo. Dissertação (Mestrado em Ciência Política) – Departamento de Ciência Política, Faculdade de Filosofia, Letras e Ciências Humanas, Universidade de São Paulo, São Paulo, 1999.

NUNES, Samira Bueno. **Bandido bom é bandido morto:** a opção ideológico-institucional da política de segurança pública na manutenção de padrões de atuação violentos da polícia militar paulista. 2014. Dissertação (Mestrado em Administração Pública e Governo) – Escola de Administração de Empresas de São Paulo, Fundação Getulio Vargas, São Paulo, 2014.

O'DONNELL, Guillermo. Polyarchies and the (Un)Rule of Law in Latin America. Kellogg Institute, Notre Dame, n. 254, p. 1-28, may 1998. Paper. Disponível em: https://kellogg.nd.edu/sites/default/files/old_files/documents/254_0.pdf. Acesso em: 3 ago. 2018.

O'DONNELL, Guillermo. Why the Rule of Law Matters. **Journal of Democracy,** v. 15, n. 4, p. 32-46, oct. 2004, 10.1353/jod.2004.0076.

OLIVEIRA, Roberto Cardoso de. O trabalho do antropólogo: olhar, ouvir, escrever. **Revista de Antropologia,** São Paulo, v. 39, n.1, p. 13-37, 1996.

ORGANIZAÇÃO DAS NAÇÕES UNIDAS (ONU). **Report of the Special Rapporteur on extrajudicial, summary or arbitrary executions, Philip Alston.** Geneva, 2010.

PACELLI, Eugênio. **Curso de Processo Penal.** 16. ed. São Paulo: Editora Atlas, 2012.

PAIVA, Luiz Guilherme Mendes de. Diagnóstico da política criminal brasileira (1984-2009). In: MACHADO, Marta Rodriguez de Assis; PÜSCHEL, Flavia Portella (org). **Responsabilidade e pena no Estado democrático de direito** [recurso eletrônico]: desafios teóricos, políticas públicas e o desenvolvimento da democracia. São Paulo: FGV Direito SP, 2016.

PINC, Tania. **Treinamento policial:** um meio de difusão de políticas públicas que incidem na conduta individual do policial de rua. 2011. Tese (Doutorado em Ciência Política) – Departamento de Ciência Política da Faculdade de Filosofia, Letras e Ciências Humanas, Universidade de São Paulo, São Paulo, 2011.

PINC, Tania. Abordagem policial: um encontro (des)concertante entre a polícia e o público. **Revista Brasileira de Segurança Pública,** São Paulo, a. 1, n. 2, p. 6-23, 2007.

PINHEIRO, Paulo Sérgio; IZUMINO, Eduardo A.; FERNANDES, Maria Cristina Jakimiak. Violência Fatal: conflitos policiais em São Paulo (81-89). **Revista USP,** São Paulo, n. 9, p. 95-112, 1991.

PINHEIRO, Paulo Sérgio. O Estado de direito e os não-privilegiados na América Latina. In: MÉNDEZ, Juan E.; O'DONNEL, Guillermo; PINHEIRO, Paulo Sérgio (org.). **Democracia, violência e injustiça:** o Não-Estado de direito na América Latina. São Paulo: Paz e Terra, 2000. p. 11-29.

PINHEIRO, Paulo Sérgio. Autoritarismo e transição. **Revista USP,** São Paulo, n. 9, p. 45-56, 1991.

PINHEIRO, Paulo Sérgio. Violência, crime e sistemas policiais em países de novas democracias. **Tempo Social,** São Paulo, v. 9, n.1, p. 43-52, maio 1997.

PINHEIRO, Paulo Sérgio. Os sessenta anos da Declaração Universal: atravessando um mar de contradições. **Sur. Revista Internacional de Direitos Humanos,** São Paulo, v. 5, n. 9, p. 76-87, 2008.

PIRES, Alvaro Penna. De quelques enjeux épistémologiques d'une méthodologie générale pour les sciences sociales. *In:* POUPART, Jean *et al.* **La recherche qualitative :** enjeux épistémologiques et méthodologiques. Montréal : Gaëtan Morin, 1997, p. 3-54.

POLÍCIA MILITAR DO ESTADO DE SÃO PAULO. **Instrução policial militar:** instruções do processo administrativo da polícia militar. 2013. Disponível em: http://www.tjmsp.jus.br/leis/pm%20_i16_20130809.pdf. Acesso em: 3 out. 2016.

PYLE, Jeffrey. Race, Equality and the rule of law: critical race theory's attack on the promises of liberalism'(1999). **Boston College Law Review,** Hanover, v. 40, n. 3, p. 787-827, maio 1999.

RANGEL, Paulo. **Direito Processual Penal.** 21. ed. São Paulo: Editora Atlas, 2013.

RANGEL, Paulo. **A inconstitucionalidade da incomunicabilidade do conselho de sentença no tribunal do júri brasileiro.** 2005. Tese (Doutorado em Direito) – Setor de Ciências Jurídicas e Sociais, Universidade Federal do Paraná, Curitiba, 2005.

REGINATO, Andréa Depieri de A. Uma introdução à pesquisa documental. *In:* MACHADO, Maira Rocha (Org.). **Pesquisar empiricamente o direito.** São Paulo: Rede de Estudos Empíricos em Direito, 2017. cap. 6, p. 189-284.

REIS, Vilma. **Atucaiados pelo Estado:** as políticas de segurança pública implementadas nos bairros populares de Salvador e suas representações (1991-2001). 2005. 247 f. Dissertação (Mestrado em Ciências Sociais) – Faculdade de Filosofia e Ciências Humanas, Universidade Fedeeral da Bahia, Salvador, 2005.

RIBEIRO, Ludmila; MACHADO, Igor Suzano. A resposta judicial para homicídios envolvendo policiais no Brasil: uma análise quantitativa. **Canadian journal of Latin American and Caribbean studies.** On-line, v. 41, n. 3, p. 366-388, 2016.

RIO DE JANEIRO. Secretaria de Estado e Segurança. **Portaria PCERJ nº 703,** de 11 de março de 2015. Aprova o Manual Prático de Polícia Judiciária – formalização dos atos de política judiciária – FAPJ. Diário Oficial do Estado do Rio de Janeiro: parte 1, Rio de Janeiro, ano 41, n. 56, p. 9-10, 31 mar.2015. Rio de Janeiro, RJ, mar, 2015. Disponível em: https://www.jusbrasil.com.br/diarios/88997569/doerj-poder-executivo-31-03-2015-pg-10. Acesso em: 23 jul. 2018.

SÃO PAULO. **Lei complementar nº 893, de 09 de março de 2001.** Institui o Regulamento Disciplinar da Polícia Militar. São Paulo: Assembleia Legislativa,

9 mar. 2001. Disponível em: https://www.al.sp.gov.br/repositorio/legislacao/lei.complementar/2001/lei.complementar-893-09.03.2001.html. Acesso em: 13 nov. 2017.

SÃO PAULO. **Lei complementar nº 734, de 26 de novembro de 1993.** Institui a Lei Orgânica do Ministério Público. São Paulo: Assembleia Legislativa, 26 nov. 1993. Disponível em: https://www.al.sp.gov.br/repositorio/legislacao/lei.complementar/1993/alteracao-lei.complementar-734-26.11.1993.html. Acesso em: 17 nov. 2017.

SÃO PAULO. Conselho Nacional de Comandantes Gerais das Polícias Militares e Corpos de Bombeiros Militares. **Portaria nº 01, de 30 de agosto de 2017.** Recomenda aos Comandantes Gerais das Polícias Militares e dos Corpos de Bombeiros Militares, o exercício das suas atribuições de polícia judiciária militar, nos termos do Decreto-Lei nº 1002, de 1969, Código de Processo Penal Militar. São Paulo: AFAM, 30 ago. 2017.Disponível em: http://www.afam.com.br/boletim-institucional/cncg-portaria-no-01-de-30-de-agosto-de-2017-exercicio-das-atribuicoes-de-policia-judiciaria-militar-nos-termos--do-cppm/3046. Acesso em: 20 jan. 2018.

SÃO PAULO. Polícia Civil do Estado. Portaria DGP-21, de 10 de junho de 2015. Regulamenta as providências de polícia judiciária nas ocorrências de homicídio consumado de policiais civis, militares e outros agentes públicos de segurança que especifica e nas ocorrências de morte decorrente de intervenção policial. **Diário Oficial Poder Executivo:** seção 1, São Paulo, ano n. 106, p. 6. 11 jun. 2015.

SÃO PAULO. Tribunal de Justiça Militar do Estado de São Paulo. Resolução nº 054, de 18 de agosto de 2017. Dispõe sobre apreensão de instrumentos ou objetos em Inquéritos Policiais Militares. **Diário da Justiça Militar Eletrônico:** seção 1, São Paulo, ano 10, ed. 2277, 21 ago. 2017.

SÃO PAULO. Secretaria Estadual de Segurança Pública. Resolução SSP-40, de 24 de março de 2015. Disciplina, no âmbito da Secretaria de Segurança Pública, o procedimento a ser adotado nas hipóteses de (I) homicídio consumado de policiais civis, militares, integrantes da Polícia Técnico-científica, agentes penitenciários, guardas civis municipais e agentes da Fundação CASA, no exercício da função ou em decorrência dela; (II) morte decorrente de intervenção policial estando ou não o agente em serviço, e dá outras providências. **Diário Oficial Poder Executivo:** seção 1, São Paulo, ano 125, n. 56, p. 7, 25 mar. 2015. Disponível em: https://sintelpol.org.br/arquivos/2015/legislacao/resolucoes/pg0011.pdf. Acesso em: 17 nov. 2017.

SÃO PAULO. Secretaria Estadual de Segurança Pública. Resolução SSP-05, de 07 de janeiro de 2013. Estabelece parâmetros aos policiais que atendam ocorrências de lesões corporais graves, homicídio, tentativa de homicídio, latrocínio e extorsão mediante sequestro com resultado morte; fixando, ainda, diretrizes para a elaboração de registros policiais, boletins de ocorrência, notícias de crime e inquéritos policiais decorrentes de intervenção policial. **Diário Oficial Poder Executivo:** seção 1, São Paulo, ano 123, n. 4, p. 5, 8 jan.

2013. Disponível em: http://esmpsp.nucleoead.net/moodle3/mod/forum/discuss.php?d=757. Acesso em: 23 nov. 2017.

SCHAPIRO, Mario Gomes. Repensando a relação entre Estado, direito e desenvolvimento: os limites do paradigma rule of law e a relevância das alternativas institucionais. **Rev. Direito GV,** São Paulo, v. 6, n. 1, p. 213-252, jan./jun. 2010.

SCHLITTLER, Maria Carolina de Camargo. **"Matar muito, prender mal":** a produção da desigualdade racial como efeito do policiamento ostensivo militarizado em SP. 2016. Tese. (Doutorado em Sociologia). Universidade Federal de São Carlos, São Carlos, 2016.

SCHRITZMEYER, Ana Lúcia Pastore. **Controlando o poder de matar:** uma leitura antropológica do Tribunal do Júri – ritual lúdico e teatralizado. 2002. Tese (Doutorado em Antropologia Social) – Faculdade de Filosofia, Letras e Ciências Humanas, Universidade de São Paulo, São Paulo, 2002. DOI: 10.11606/T.8.2002.tde-31082007-095427. Disponível em: https://www.teses.usp.br/teses/disponiveis/8/8134/tde-31082007-095427/publico/TESE_ANA_L_PASTORE_SCHRITZMEYER.pdf. Acesso em: 18 mar. 2019.

SENNA, Claudia Muller Goldberg. Papiloscopia como método de identificação humana: uma contribuição à investigação criminal. 2014. Monografia (Especialização em Inteligência em Saúde Pública) – Pós-graduação em Inteligência em Segurança Pública, Universidade do Sul de Santa Catarina, Palhoça, 2014.

SINHORETTO, Jacqueline; SILVESTRE, Giane; SCHLITTLER, Maria Carolina. **Desigualdade racial e segurança pública em São Paulo**: letalidade policial e prisões em flagrante. São Paulo: UFSCAR, 2014.

SOUZA, Taiguara Libano Soares. **Constituição, segurança pública e estado de exceção permanente:** a biopolítica dos autos de resistência. 2010. 222 f. Dissertação (Mestrado em Direito) – Departamento de Direito, Pontifícia Universidade Católica do Rio de Janeiro, Rio de Janeiro, 2010.

SUDBRACK, Aline Winter. **A violência policial e o Poder Judiciário:** estudo sobre a (i) legitimidade da ação violenta da polícia e a impunidade. 2008. 278 f. Tese (Doutorado em Sociologia) – Instituto de Filosofia e Ciências Humanas, Universidade Federal do Rio Grande do Sul, Porto Alegre, 2008.

TRIVIÑOS, Augusto Nibaldo Silva. **Introdução à pesquisa em Ciências Sociais:** a pesquisa qualitativa em Educação. São Paulo: Editora Atlas, 1987.

TRUBEK, David. The "rule of law" in development assistance: past, present, and future. *In:* TRUBEK, David; SANTOS, Alvaro. **The New Law and Development:** a Critical Appraisal. New York: Cambridge, 2006.

VELHO, Gilberto. Observando o Familiar. *In:* NUNES, E. O. (org.). **A aventura sociológica.** Rio de Janeiro: Zahar, 1978.

VERANI, Sérgio. **Assassinatos em nome da lei.** Rio de Janeiro: Aldebarã, 1996. p. 33-37.

VIANNA, Adriana; FARIAS, Juliana. The mothers' war: pain and politics in situations of institutional violence. **Cadernos Pagu,** n. 37, p. 79-116, 2011.

VIEIRA, Oscar Vilhena. A desigualdade e a subversão do Estado de direito. **Sur – Revista Internacional de Direitos Humanos** [On-line], São Paulo, v. 4, n. 6, p. 28-51, 2007.

VIEIRA, Oscar Vilhena. **A Constituição e sua reserva de justiça.** São Paulo: Malheiros, 1999.

VIEIRA, Oscar Vilhena. Do compromisso maximizador ao constitucionalismo resiliente. *In:* DIMOULIS, Dimitri; RAMOS, Luciana de Oliveira; VIEIRA, Oscar Vilhena; NASSAR, Paulo André; GLEZER, Rubens Eduardo; LUNARDI, Soraya. **Resiliência constitucional:** compromisso maximizador, consensualismo político e desenvolvimento gradual. São Paulo: Direito GV, 2013.

XAVIER, José Roberto. Algumas notas sobre a entrevista qualitativa de pesquisa. *In:* MACHADO, Maira Rocha (Org.). **Pesquisar empiricamente o direito.** São Paulo: Rede de Estudos Empíricos em Direito, 2017. cap. 4, p. 119-160.

WANDERLEY, Gisela Aguiar. Filtragem racial na abordagem policial: a "estratégia de suspeição generalizada" e o (des) controle judicial da busca pessoal no Brasil e nos Estados Unidos. **Revista brasileira de ciências criminais,** São Paulo, n. 135, p.189-229, 2017.

YIN, Robert K. **Estudo de caso:** planejamento e métodos. 2. ed. Porto Alegre: Bookman, 2001.

ZACCONE, Orlando. **Indignos de vida:** a forma jurídica da política de extermínio de inimigos na cidade do Rio de Janeiro. Rio de Janeiro: Revan, 2015.

ZAVASCKI, Teori. **Processo Coletivo:** tutela de direitos coletivos e tutela coletiva de direitos. 2005. 295 f. Tese (Doutorado em Direito) – Programa de Pós-Graduação em Direito, Faculdade de Direito, Universidade Federal do Rio Grande do Sul, Porto Alegre, 2005.

ZUBERI, Tukufu. Teoria crítica da raça e da sociedade nos Estados Unidos. **Cadernos do CEAS: Revista crítica de humanidades,** [S.l.], n. 238, p. 464-487, dez. 2016. ISSN 2447-861X. Disponível em: https://cadernosdoceas.ucsal.br/index.php/cadernosdoceas/article/view/281/217. Acesso em: 4 mar. 2019.

Este livro foi composto em Adobe Garamond Pro e Exo,
impresso pela Expressão & Arte Editora e Gráfica
em papel Pólen Soft 80g em julho de 2021.